Karl Lehmann (Hrsg.)

Religionsunterricht in der offenen Gesellschaft

Ein Symposion im Bonner Wasserwerk

Mit einer Einleitung von
Eckhard Nordhofen

und Beiträgen von
Rita Süssmuth
Karl Lehmann
Dieter Althaus
Wolf-Michael Catenhusen
Winfried Kretschmann
Otto Graf Lambsdorff
Jürgen Rüttgers
Richard Schröder
Rolf Wernstedt

Verlag W. Kohlhammer
Stuttgart Berlin Köln

Redaktion:
David Hober, Zentralstelle Bildung der Deutschen Bischofskonferenz

Stuttgart Berlin Köln
Verlagsort: Stuttgart
Umschlag: MediaCompany, Bonn / J. González
Gesamtherstellung: W. Kohlhammer Druckerei GmbH + Co. Stuttgart
Printed in Germany

Inhaltsverzeichnis

Vorwort des Vorsitzenden der Deutschen Bischofskonferenz

Evangelium heißt wörtlich aus dem Griechischen übersetzt „die gute Nachricht". Das enthält schon den Impuls des Weitersagens. Gute Nachrichten behält man nicht für sich. Die pfingstliche, nachösterliche Freude der ersten, die sich ihrer Erlösung so richtig freuen konnten, das ist das Beispiel, an dem wir Christen uns seit 2000 Jahren immer neu entzünden können. Daß Christen auch in diesem Jahrhundert, das ein Jahrhundert nie gekannter Schrecken war, diese gute Nachricht weitersagen können, ist keineswegs selbstverständlich. Etwa 70.000 Religionslehrerinnen und Religionslehrer machen die Kinder und jungen Erwachsenen im Lande mit der christlichen Tradition und Vision bekannt und geben ihnen damit eine Perspektive für ihr persönliches Leben und die Gesellschaft. Anders, als es manche Stimmen aus der veröffentlichten Meinung behaupten, ist dieser Religionsunterricht insgesamt akzeptiert, ja sogar – wie einige neuere Untersuchungen zeigen – ein beliebtes Fach. Erst wer sich wirklich kundig macht, wird feststellen, daß die Akzeptanz dieses werte- und sinnvermittelnden Unterrichts sogar weit über den Kreis derer hinausgeht, die am Leben der Kirche aktiv teilnehmen.

Die Väter und Mütter des Grundgesetzes haben unter dem Eindruck einer gottlosen Diktatur sehr bewußt den Religionsunterricht im Art. 7 Abs. 3 unseres Grundgesetzes verankert. Sie sind im Art. 4, der das Menschenrecht auf Religionsfreiheit festhält, davon ausgegangen, daß Religion zum Menschen gehört. Für uns heute, die wir die Bildung ganzheitlich konzipieren, gehört Religion in die Schule. Da der demokratische Staat aber die letzten Dinge nicht in eigene Regie nehmen kann, kooperiert er mit den Kirchen, die für die Inhalte des Religionsunterrichts verantwortlich sind. Der Religionsunterricht der Zukunft wird ein authentischer, konfessionell-profilierter Unterricht sein. Dieser Unterricht, der zur freien Entscheidung und der Herausbildung eines eigenen Standpunktes befähigen will, ermöglicht damit auch die echte Toleranz. Denn nur wer selber einen Standpunkt hat, wird einen anderen Menschen verstehen können, der ebenfalls eine Überzeugung hat, wenn auch eine andere.

Die Veranstaltung, bei der am 7. Oktober 1997 im Bonner Ersatzparlament „Wasserwerk“ drei Stunden lang lebhaft über die Bedeutung des Religionsunterrichtes diskutiert wurde, hat viele überrascht. Sie hat, quer durch die Fraktionen des Deutschen Bundestages, ein einmütiges Votum für den profilierten Religionsunterricht, wie ihn das Grundgesetz vorsieht, erkennen lassen. Das ist eine gute Nachricht, die es wert ist, daß man sie festhält und überall bekanntmacht.

Mainz/Bonn, 23. Dezember 1997 *Bischof Karl Lehmann*

Eckhard Nordhofen

Einleitung

Religionsunterricht versus Lebensgestaltung, Ethik, Religionskunde
Der ideenpolitische Hintergrund

Deutschland wird protestantischer und östlicher – diese Prophezeiung Lothar de Maizières ist, vor allem, was die erste Hälfte angeht, nicht eingetroffen. Die Rolle der Kirche bei der Befreiung von der zweiten deutschen Diktatur hatte zu großen Hoffnungen vor allem für die Evangelische Kirche berechtigt. Immerhin waren es die Kernlande der Reformation, die nun in neuer Freiheit an alte Traditionen hätten anknüpfen können. Es ist anders gekommen. Deutschland ist atheistischer geworden. Zwar ist den meisten Menschen der Abschied vom Marxismus als ökonomischem System, dessen offensichtlicher Ruin ja auch nicht zu übersehen war, leicht gefallen. Wie erklärt sich aber das hartnäckige Festhalten an der Feuerbach-Marxschen-Religionskritik, die in der schlichten Volksausgabe Religion als aufgelegten Schwindel entlarvt? Es gibt eine Renaissance der Jugendweihe und ein stabiles Festhalten an klischeehaften Vorurteilen über die Religion in der Bevölkerung der neuen Länder. Viele dieser „Aufgeklärten" fühlen sich sogar in diesem Punkt dem „Wessi" überlegen, der noch nicht so weit ist wie sie. Vielleicht liegt gerade in diesem Angebot, wenigstens an *einer* Stelle weiter fortgeschritten zu sein als die Bewohner der alten Bundesrepublik, eine besondere Attraktivität.

Ist nicht tatsächlich die fortgeschrittene „Säkularisierung", die den Osten kennzeichnet, der Zustand, auf den die Entwicklung der Moderne generell zuläuft? Sind „Säkularisierung" und „Moderne" nicht nahezu Synonyme? Diese oberflächliche Einschätzung kann zu einem folgenschweren Fehlurteil führen. Denn Ethnologen, Gesellschafts-

und Religionswissenschaftler sind sich darin einig, daß die ältere Säkularisierungstheorie nicht haltbar ist. Nach ihr bringt der Prozeß der Moderne allmählich, aber unaufhaltsam die Religion zum Verschwinden. Diese ältere Säkularisierungstheorie, die in der öffentlichen Meinung immer noch weit verbreitet ist, erhält vor allem Nahrung durch die Schwierigkeiten, welche die institutionalisierten Formen der Religion, die Kirchen, tatsächlich haben.

Das Denken der Zeitgenossen ist vom Individualismus tief geprägt. Keinen Satz hört der Religionslehrer aus dem Mund seiner Schüler häufiger als: „Das muß jeder für sich selbst entscheiden!" Dieser Satz ist nicht falsch. Er pointiert sogar eine menschliche Eigenschaft, die für das Christentum nicht erst seit der Reformation wesentlich ist: Die freie Entscheidung des Gewissens. Das Menschenbild, das schon in der Geschichte von den ersten Menschen im Paradies vermittelt wird, stellt die freie Entscheidung in den Mittelpunkt. Im Vergleich der Kulturen fällt auf, daß dort, wo das Christentum das Denken bestimmt, sich eine beispiellose Dynamik entwickelt hat. Der zur Entscheidung aufgerufene einzelne, der nach dem Neuen Testament zwar „in der Welt", aber nicht „von der Welt" ist, stößt sich vom Ist-Zustand des Gegebenen ab und sorgt auf diese Weise für eine Kultur der Bewegung. Es spricht viel für die These, daß dieses Ferment von Weltlosigkeit, welches das Christentum auszeichnet, in der Neuzeit zu einem zivilisatorischen Fortschritt geführt hat, der seine theologischen Antriebe nicht immer erkennen läßt. In der Moderne hat diese Kultur der Bewegung allerdings dazu geführt, daß die Dynamik sich verselbständigt. Vorher, im ruhigen Fahrwasser einer allmählichen Entwicklung, hatte sich das Christentum als eine stabilisierende, kulturprägende Kraft mit besonderen Lebensformen entwickelt. Dies gilt besonders für die katholische Tradition, die in der Kirche ein reiches Zeichensystem entfaltet hat, das für die Anwesenheit des ganz anderen Gottes eine eigene Bilder- und Formensprache herausgebildet hat.

Während die ursprünglich christlich motivierte Dynamik zu einem zivilisatorischen und technischen Fortschritt führt, der sich vom Christentum unabhängig macht, verweist das Bild einer Kirche, die sich als Felsen Petri den Stürmen und Wettern aussetzt, auf Distanz und Unabhängigkeit vom aktuellen Tagesgeschehen. Diese Unabhängigkeit von Zeit und Zeitgeist stellt die Kirche einerseits in ein eschatologisches Licht, macht sie andererseits aber dem Beschleunigungsprozeß der Moderne gegenüber dysfunktional.

Für das aktuelle Bewußtsein spielt die Grunderfahrung von Geschwindigkeit und Beschleunigung die zentrale Rolle. Die zivilisatorische

Moderne mit ihrer exponentiell ansteigenden Kurve der Beschleunigung fordert vom einzelnen Anpassung an die Beschleunigung und nicht mehr – wie in früheren Jahrhunderten – Anpassung an die geformte Lebenswelt. Der gemeinschaftsferne und institutionsfeindliche Individualismus ist entfesselt. Er führt offenbar neue und federleichte Formen von Religiosität herauf. Anders, als die ältere Säkularisierungsthese dies behauptet, verschwindet Religion keineswegs. Sie steht aber unter dem Anpassungsdruck des entfesselten Individualismus: „Das muß jeder für sich selbst entscheiden!"

Marktförmige Angebote, die an die Stelle der Kirchen treten, entsprechen ganz dem Gesetz von Angebot und Nachfrage. Der individualisierte Nachfrager bedient sich heute beim Eurotaoismus, morgen beim Buddhismus, läßt sich durchaus noch von Glockengeläut in Stimmung versetzen, begleitet seine Kinder mit der Laterne beim Martinsumzug und ist ansprechbar für allerhand Formen einer erlebnisbetonten Religiosität von „events". Religiosität wird bunt und therapeutisch. Die Anbieter auf dem bunten Sinnmarkt haben alle gemeinsam, daß sie zur kosmischen Harmonie, zur psychischen Hygiene, zur ausgeglichenen Persönlichkeit, kurz zum Wohlfühlen einen Beitrag leisten. Die Frage des Funktionalisten: „Was bringt mir das?" wird bedient.

Auch innerhalb der kirchlichen Tradition beleben sich Formen, die diesem Bedürfnis entsprechen. Kirchentage, deren Schauplatz oft das Fußballstadion ist, bieten die Möglichkeit großer Gemeinschaftserlebnisse und der Erfahrung herzlicher Geschwisterlichkeit, das Wallfahrtswesen nimmt einen ungeahnten Aufschwung, und erlebnisbetonte charismatische Gottesdienstformen, deren verstecktes Ritual auf den ersten Blick nicht immer erkennbar ist, werden aus Amerika übernommen.

Schon der Grundgedanke der jüdischen Aufklärung steht quer zum Spiel von Bedürfnis und Bedürfnisbefriedigung. Gegen die selbstgemachten Gottheiten des Polytheismus wendet sich die Religionskritik des frühen Monotheismus. Ein selbstgemachter Gott ist kein Gott! Dieser neue Gott ist keine Projektion menschlicher Bedürfnisse. Er funktioniert nicht – dies macht das Buch Ijob dramatisch deutlich – nach dem Tauschprinzip: Wohlverhalten gegen Wohlergehen. Das Beispiel des dramatisch am Kreuz gescheiterten Jesus von Nazareth demonstriert unüberbietbar, wie gerade der Mensch, der den Willen Gottes vollkommen erfüllt, nach den Gesetzen des Funktionalismus, den Gesetzen der „Welt" vernichtet werden kann. Von diesem polaren Scheitern stößt sich der Auferstehungsglaube ab. Der Gottesglaube, der sich mit dem Kreuz konfrontiert hat, ermöglicht eine ganz neue Freiheit gegenüber den Ansprüchen des Funktionalismus. Diese theologischen Grundgedanken sollte man in Erinnerung rufen, um die Dysfunktionalität der Kirche in der Gegenwart tiefer zu verstehen. Ihre historische Rolle in den großen Katastrophen dieses zu Ende gehenden Jahrhunderts kann schon Hinweise geben.

Der Nationalismus, die bestimmende Ideologie des 19. und frühen 20. Jahrhunderts, sah die Kirche als Gegenkraft. Auch der Nationalsozialismus, dessen Schatten noch lange auf uns liegen wird, hatte die Kirche zum Gegner. Dies gilt auch für die zweite Diktatur, den Stalinismus. Jedesmal sahen sich Christen mit dem Vorwurf konfrontiert, daß sie die „Zeichen der Zeit" nicht erkannt hätten. Eine Kirche, die sich eschatologisch ausspannt, die zwar immer „in der Welt", aber niemals „von der Welt" ist, hatte sich nicht angepaßt.

Der Religionsunterricht in den Schulen der alten Bundesrepublik Deutschland sieht sich in einer eigenartigen Situation. Einerseits ist er ein beliebtes Fach. Dies zeigen Umfragen der Meinungsforscher und spezielle Untersuchungen (Anton Bucher: „Der Religionsunterricht: Besser als sein Ruf"). Natürlich gibt es hier und da auch schlechten Unterricht. Aber die Zeiten, in denen Religion zum „Laberfach" verkommen war, sind vorbei. Die Abmeldungen sind gering (Hessen 3%,

Nordrhein-Westfalen 5%). Durchdachte didaktische Ansätze und eine vielgestaltige Methodik sorgen dafür, daß es einen Religionsunterricht gibt, der altersgemäß erteilt wird und der in einem Gesamtkonzept schulischer Bildung gut verankert ist. Wie kommt es aber nun, daß in den Zeitungen von einem Religionsunterricht zu lesen ist, dem „die Schüler in Scharen davonlaufen", der eine Akzeptanzkrise erfährt, die nur dadurch behoben werden könne, daß man schleunigst einen anderen, einen „zeitgemäßeren" Religionsunterricht einführe. Wie ein solcher zeitgemäßer „Religionsunterricht der Zukunft" aussehen würde, wird auch meist nicht verschwiegen: Er ist multikulturell bzw. „multireligiös", er ist bestimmt von den Grundgedanken der Toleranz und des Ökumenismus. Am Horizont erscheint das Konzept einer „Schulreligion", deren Konfession die Überkonfessionalität wäre. Eine solche Religionskunde würde natürlich keine Wahrheit im Singular lehren, sondern nur Wahrheiten, die alle das gemeinsam haben, daß sie relativ und vorläufig sind: „Das muß jeder für sich selbst entscheiden!" Dieser religionskundliche Unterricht hätte dann auch viele organisatorische Vorteile. Er könnte für alle Schüler verbindlich sein, denn er definiert sich ja oberhalb von Kirchen und kirchlichen Gemeinschaften als eine zivilreligiöse, staatliche Einrichtung. Die Stundenplanmacher in den Schulen wären erfreut, denn sie hätten es nun nicht mehr mit zwei Konfessionen zu tun und mit den Randproblemen, die sich aus der Frage ergeben, was mit den Muslimen und anderen Schülern anzufangen sei, die nicht im kirchlich mitverantworteten Unterricht untergebracht werden können. Auch die Frage nach dem Ersatzfach für diese Schüler müßte nicht mehr gestellt werden, denn eine Religionskunde, die gegebenenfalls noch komplettiert werden könnte durch allgemeine ethische und lebenskundliche Beratung, könnte so konzipiert sein, daß sie für alle Schüler verbindlich gemacht werden kann.

Es ist eine bemerkenswerte Koalition, die sich da abzeichnet: Das östliche, postkommunistisch-atheistische Lebensgefühl und Denken verbindet sich mit einer aktuellen Zeitgeistströmung im Westen. Die frei flottierende Religiosität der alten Länder, die sich aus dem bunten Angebot mal diese, mal jene Blüte heraussucht, um sie zu einem bunten wohlriechenden Strauß zusammenzubinden, geht zusammen mit der postkommunistischen Mentalität, die sich postreligiös definiert und meint, die anthropologische Konstante Religion sei erstmals in der Menschheitsgeschichte außer Kraft gesetzt.

Der Versuch des Landes Brandenburg, den Artikel 7 Absatz 3 des Grundgesetzes zu umgehen und sich auf die sogenannte „Bremer Klausel“ zu berufen, wäre aus katholischem Kircheninteresse für sich genommen eine bundesweite Debatte nicht wert. Die katholische Kirche ist in diesem Gebiet kaum vertreten. Auch wenn der Unterricht verfassungsgemäß eingerichtet werden sollte, kämen kaum ausreichende Lerngruppen zustande. In Brandenburg muß die katholische Kirche nach Einzelfallösungen suchen, wie sie auch in norddeutschen Diasporagebieten eingeführt sind und wie sie auch der Tradition im Osten entsprechen, nach der der Religionsunterricht in enger Anbindung an die Pfarrgemeinde erteilt wurde.

Trotzdem haben unabhängig voneinander die beiden Kirchen, katholische Schüler und Eltern, die Fraktion der CDU/CSU des Deutschen Bundestages und evangelische Schüler und Eltern sich an das Bundesverfassungsgericht gewandt. Sie möchten erreichen, daß – wie in Thüringen und in anderen neuen Ländern – der Religionsunterricht so erteilt wird, wie es das Grundgesetz vorsieht. Im Vorfeld des Prozesses hat das Land Brandenburg der Evangelischen Kirche angeboten, einen kirchlichen Religionsunterricht weitgehend zu refinanzieren. Die finanziell außerordentlich angespannte Lage der mitgliederschwachen Kirche in Brandenburg hat sie wohl veranlaßt, dieses Angebot anzunehmen, ohne jedoch ihre grundsätzliche Position aufzugeben. Immerhin erhalten auf diese Weise einige Zehntausend Schüler evangelischen Religionsunterricht.

Was aber ist mit der Mehrheit? Für die postkommunistischen Verhältnisse sind die ernsthaften Fragen, wie sie schon an den runden Tischen in Wendezeiten gestellt wurden, weiterhin ungelöst: Wie gehen die Schule und die Gesellschaft mit dem Wertevakuum, das sich nach der offenbar erfolgreichen Entchristianisierung durch zwei Diktaturen und nach dem Zusammenbruch des Kommunismus ergeben hat, um? Soll man zusehen, wie Jugendliche ohne Arbeitsplatz sich in rechtsradikalen Cliquen zusammenrotten? Hat nicht die Schule eine Verpflichtung, auch Jugendlichen ohne Kirchenbindung Basiswerte zu vermitteln, und gibt es darüber hinaus nicht einen Anspruch dieser Jugendlichen auf

ein kulturelles Patrimonium, das sie wenigstens als Mitglieder einer christlich geprägten Kulturnation anspricht? Die Entchristlichung bedeutet auch einen beispiellosen Bruch einer kulturellen Tradition, der am besten mit der chinesischen Kulturrevolution verglichen werden kann. Immerhin sind die Vorfahren der Menschen in den neuen Ländern mehr als 1000 Jahre lang Christen gewesen. Was wird sich im kollektiven Gedächtnis durchhalten? Mit welchen Ohren werden postkommunistische Atheisten die Kantaten Johann Sebastian Bachs hören, mit welchem Bewußtsein die klassische Literatur aufnehmen, deren Wurzeln im evangelischen Pfarrhaus gründen? Auch in den anderen neuen Ländern, die ja dem Art. 7 Abs. 3 des Grundgesetzes folgen, stellen sich diese Fragen für mehr als 80% der Jugendlichen, die an einem kirchlich mitverantworteten Religionsunterricht nicht teilnehmen wollen. Es sind dies spezifische Fragen des Ostens. Die kommunistische Diktatur wird ihre Spur noch für sehr lange in den Mentalitäten und Denkformen der Menschen in Ostdeutschland hinterlassen.

Sollte aber dieser Osten das Modell für den Religionsunterricht der Zukunft liefern? Was wäre das für eine Wiedervereinigung! Da vereinigt sich der bunte, frei flottierende Markt westlicher Religiositäten, die postkirchliche Szene von Sinn und Sinnlichkeiten mit einer postkommunistischen Mentalität, die sich postreligiös wähnt, und verlängert damit Walter Ulbrichts und Margot Honneckers Umerziehungserfolg in den Westen. Es ist schon eine sehr seltsame Partnerschaft, die dazu geführt hat, daß das Pädagogische Landesinstitut im nordrhein-westfälischen Soest und der Mainzer Religionspädagoge Gert Otto zu den Vordenkern des Faches LER in Brandenburg avancierten.

LER (Lebensgestaltung / Ethik / Religionskunde) gibt sich in den Plänen und Konzepten durchaus religionsfreundlich. Dies freilich im Sinne eines gleichsam ethnologischen Verhältnisses zur Religion, das davon ausgeht, daß es das Phänomen Religion weltweit gibt, daß vielleicht sogar die Religion eine gewisse Blüte erlebt, das sich aber auf

Verfallsformen von Religion konzentriert, wie sie im Fundamentalismus vorliegen. Das Gefühl, die Religion als eine Art Bewußtseinskrankheit hinter sich lassen zu können, wird durch ein Studium vieler religiöser Phänomene, vor allem auch fanatischer Verfallsformen von Religion zweifellos verstärkt. Da relativiert die eine Religion mit Wahrheitsanspruch die andere, die einen konkurrierenden Wahrheitsanspruch stellt. Daraus kann dann der Schluß gezogen werden, daß Wahrheitsfragen zu stellen schon der erste Schritt zur Intoleranz sei. Die Toleranz Nathans des Weisen in Lessings gleichnamigem Stück ist freilich eine andere. Es ist die Toleranz eines, der nicht ungläubig ist, der aus der Erfahrung eigener Überzeugungen mit Respekt auf die Überzeugungen des anderen blickt. Welcher Begriff von Toleranz steht hinter dem LER-Ideal, die Toleranz postreligiöser Gleichgültigkeit oder die Toleranz der Überzeugten? Richard Schröder, zweifellos ein ausgewiesener Kenner der Szene, hat mehrfach und zuletzt noch im Bonner Wasserwerk betont, daß die Lehrerschaft in der ehemaligen DDR, also das Personal, das diesen neuartigen staatlichen Religionsersatzunterricht erteilen soll, das „stabilste DDR-Milieu" darstellt.

Man kann nur hoffen, daß durch gezielte Weiterbildungsmaßnahmen hier eine Änderung erreicht werden kann. Viel wird davon abhängen, wie die Ausbildung der neuen Lehrergenerationen stattfinden wird, wie und durch wen die Qualifizierung für das Fach organisiert wird, das an die Stelle des Religionsunterrichts treten soll.

Auch in dem Unterricht, der in den anderen neuen Ländern unter dem Namen „Ethik" oder „Philosophieren mit Kindern" angeboten wird, sind religionskundliche Anteile enthalten. Man kann angesichts der Alternative einer totalen Unkenntnis und eines radikalen Werteverlusts gegen die Einrichtung eines solchen Faches ernsthaft nichts vorbringen. Die Kirchen wenden sich auch nicht gegen diesen Ersatzunterricht, der etwa in Sachsen und Sachsen-Anhalt als „Alternativfach" bezeichnet wird, weil man das Fach, das von der Mehrheit der Schülerinnen und Schüler besucht wird, nicht als „Ersatzfach" bezeichnen wollte.

Es ist bisher aber noch keine überzeugende didaktische Begründung für dieses Fach bekannt geworden, die aus einer fundamentalen Aporie herausführte. Der demokratische Staat ist weltanschauungsneutral. Er kann die Eschata, die letzten Gründe, die immer mit religiösen Überzeugungen zusammenhängen, niemals als Staat in eigene Regie nehmen. Er kann Religion und Religionen immer nur in der Mehrzahl und niemals aus der Position der Überzeugung den Schülern zur Annahme vorsetzen. Der Staat kann in dem Unterricht, dessen Inhalte er ohne Kooperation mit einer Religionsgemeinschaft selbst definiert, immer nur distanzierte Religionskunde betreiben. Religionskunde vermittelt aber keine authentische Beziehung zur Religion. Distanz vermittelt keine Werte. Wer Religion nur als Beobachter, niemals aber aus der Teilnehmerperspektive studiert, wird niemals wissen, was Religion wirklich ist. Dies wirkt sich unmittelbar auf die Vermittlung von Werten aus. Man hat dem Ethikunterricht den vielleicht überzogenen Vorwurf gemacht, daß er – statt Wertevermittlung zu betreiben – nur metaethische Diskurse eintrainiert, d.h. die Schülerinnen und Schüler dazu befähigt, in moralischen Diskursen die jeweils für sie günstigste Strategie zu verfolgen. Auf diese Weise würde ein versatiler Hedonist in den Stand gesetzt, das, was ihm sein Vorteil ohnehin gebietet, auch noch moralisch zu drapieren und zu dekorieren. Moralbegründungen, die den einzelnen binden sollen, werden durch Alternativen, wie sie in einem staatlichen pluralen Religionskundeunterricht unumgänglich sind, geschwächt. Statt Werte zu bilden und zu binden, wird ein multikultureller Religiositäts- und Ethikunterricht oberhalb der konkreten Religionen im ungünstigen Fall sogar moralische Bindungen verhindern.

All dies spricht aber nicht dagegen, es mit einem Ersatzunterricht, heiße er nun „Philosophie“, „Ethik“ oder – wie in Niedersachsen – „Werte und Normen“ wenigstens zu versuchen. Dies wäre immerhin besser als die totale Ausblendung philosophischer, ethischer und religiöser Fragen aus einem Gesamtkonzept von Bildung.

Als geradezu widersinnig aber erscheint es, diese schwierige Schwachform eines religionskundlichen Unterrichts als das Modell der Zukunft anzupreisen. LER als Exportartikel hat keine Spur von Attraktivität, vor allen Dingen für solche Länder nicht, in denen es einen funktionierenden authentischen Religionsunterricht gibt.

Vor diesem Hintergrund läßt sich die Bedeutung der eindrucksvollen Manifestation im „Wasserwerk" am 7. Oktober 1997 verstehen. Für Otto Graf Lambsdorff ist das „Wasserwerk" ein mythischer Ort: „Von den vier Plenarsälen des Deutschen Bundestagen, die ich miterlebt habe, war dies hier der Beste, in dem man am besten diskutieren konnte. Ich habe den 9. November 1989 erlebt, als die Mauer fiel und uns das hier bekanntgegeben wurde, und hier haben wir im übrigen auch die Verfassung noch einmal bestätigt." Mit unterschiedlichen Akzentsetzungen hat das ganze Spektrum der bundesrepublikanischen Politik – mit Ausnahme der PDS – sich zum Konzept dieser Verfassung bekannt.

Die Präsidentin des Deutschen Bundestages als Hausherrin des „Wasserwerks" hatte zusammen mit dem Vorsitzenden der Deutschen Bischofskonferenz, Bischof Karl Lehmann, zu einer Diskussion eingeladen. Die CDU war durch den Bundesminister für Bildung, Wissenschaft, Forschung und Technologie, Jürgen Rüttgers, vertreten, die Opposition durch Wolf Michael Catenhusen, den kirchenpolitischen Sprecher der SPD-Fraktion, und durch Winfried Kretschmann, Bündnis 90 / Die Grünen, den Vorsitzenden des Umweltausschusses im baden-württembergischen Landtag. Die FDP war durch ihren Ehrenvorsitzenden Otto Graf Lambsdorff vertreten und die Ständige Konferenz der Kultusminister durch ihren Präsidenten Rolf Wernstedt, Kultusminister des Landes Niedersachsen. Das Land Thüringen vertrat der Kultusminister Dieter Althaus. Prof. Richard Schröder von der Humboldt-Universität hat zwar derzeit kein politisches Amt; er ist aber allen als homo politicus der Wendezeit wohlbekannt.

Frau Peter, die Kultusministerin des Landes Brandenburg hatte, wenn auch nicht vom Podium aus, ebenfalls Gelegenheit, ihren Standpunkt vorzutragen. Die Veranstaltung, die sich über drei Stunden erstreckte, wurde durch ein Grundsatzreferat von Bischof Lehmann eingeleitet. Die Zuhörer füllten den Saal bis zur letzten Minute. Der Dokumentationssender von ARD und ZDF „Phönix" übertrug die Debatte in voller Länge, die öffentlich-rechtlichen Fersehanstalten brachten Berichte in Ausschnitten. Das „Wasserwerk" fand ein beachtliches Presseecho und sorgte dafür, daß die Initiative der deutschen Bischöfe zugunsten des Religionsunterrichts „Religion in der Schule, die Freiheit zu glauben, das Recht zu wissen" einen ersten Höhepunkt hatte. Diese Initiative hat das Ziel, der Öffentlichkeit ein zutreffendes Bild von einem in den alten Ländern gut funktionierenden Religionsunterricht zu vermitteln und das Konzept eines Religionsunterrichts nach Artikel 7 Absatz 3 Grundgesetz zu stärken.

Die Väter und Mütter des Grundgesetzes haben eine im Vergleich der westlichen Verfassungen geniale Lösung gefunden. Der Staat vermeidet es, als Agent einer Staatsreligion aufzutreten. Er weiß aber, daß Religion nicht nur ein zufälliges kulturelles Erbe ist, das ihm freilich nach der Erfahrung der Nazidiktatur besonders wertvoll erschien, sondern auch ein anthropologisches Proprium: Religion gehört zum Wesen des Menschen. Deshalb definiert er das Menschenrecht auf Religion im Artikel 4 positiv. Die religiöse Bildung sichert er dadurch, daß er der Religion einen festen Platz im Fächerkanon zuweist: Religion ist „ordentliches Lehrfach". Für die Inhalte findet er in den Kirchen Partner, die ihre je eigene Ausprägung und Formulierung der Eschata so zur Geltung bringen können, daß Religion in authentischer Gestalt ihren Platz im Bildungswesen hat.

Positionen – Optionen

Rita Süssmuth

Vorsitzender der Deutschen Bischofskonferenz,
lieber Bischof Dr. Lehmann,
meine Herren Bischöfe,
Herr Bundesminister Dr. Rüttgers,
meine Herren Kultusminister,
Prof. Wernstedt,
Staatsminister Althaus,
sehr geehrte Kolleginnen und Kollegen im Podium
und im Saal,
meine Damen und Herren,

zunächst möchte ich Sie in meiner Eigenschaft als Hausherrin hier im Wasserwerk und in Bonn beim Bundestag herzlich begrüßen und Ihnen und uns eine erfolgreiche Veranstaltung wünschen. Als ich mir am gestrigen Abend die Liste der angemeldeten Teilnehmer anschaute, da habe ich gedacht: Ja, es ist ganz so, wie es in bezug auf das Bischofswort „Die bildende Kraft des Religionsunterrichts. Zur Konfessionalität des katholischen Religionsunterrichts" im September 1996 war. Diejenigen, die dort sich angesprochen und eingeladen fühlen sollten, sind auch für den heutigen Abend eingeladen. Die Eltern und Schüler, die Verantwortlichen in den Schulämtern und Kultusverwaltungen, in den Religionspädagogischen Ämtern und in den Hochschulen, insbesondere aber Religionslehrerinnen und Religionslehrer. Und ich muß sagen, wenn unsere Lehrenden in den Schulen, unsere Erzieherinnen und Erzieher, immer so liebevoll angesprochen würden wie in diesem Bischofswort, was meinen Sie, was das Spaß machte, Fächer zu unterrichten.

Ich freute mich aber auch, als ich sah, wie viele Kolleginnen und Kollegen aus dem Bundestag sich angemeldet haben. Sie haben damit an dieser Thematik nicht nur ihr Interesse bekundet, sondern auch ihre Verantwortungsbereitschaft gezeigt. Denn ich glaube, bei allem, was in der Pluralität unseres Staates und Gemeinwesens anerkannt ist, verbindet die meisten von uns nicht nur die Zustimmung zur Verfassung, sondern auch die Überzeugung, daß die Fragen des Glaubens, der Religion, der Confessio von grundle-

gender Bedeutung für die Menschen in jedem Gemeinwesen, auch in unserem, sind. Dieses ist nicht ein Denken von gestern und vorgestern, sondern ganz im Gegenteil, es ist bedeutsamer denn je. Wenn wir unser Grundgesetz als Ausdruck der Basis nehmen, auf der wir in unserem Gemeinwesen zusammenleben wollen, dann ist dort ausdrücklich im Art. 7 Abs. 3, aber auch im Art. 4 festgelegt, daß der Religionsunterricht als ein Pflichtfach in der Schule vorzusehen ist. Die Verfassungsaussage ist in diesem Punkt eindeutig, ebenso das einschlägige Verfassungsgerichtsurteil von 1987. In meiner kurzen Einführung – denn das Grundsatzreferat hält unser Bischof Lehmann – möchte ich jedoch nicht nur auf das Rechtliche hinweisen, sondern auch auf die Diskussion in unserem Parlament. Als es um den Religionsunterricht oder einen Ersatz in Brandenburg ging, hat es viele gegeben, die uns anläßlich dieser Debatte im Deutschen Bundestag kritisiert haben. Daß sich der Deutsche Bundestag mit dieser Frage befaßt, zeigt meiner Meinung nach aber, daß das Thema zumindest von gleich grundlegender Bedeutung ist, wie wenn er sich mit Kulturfragen, Sozialfragen, Wirtschaftsfragen, Rechtsfragen oder Sicherheitsfragen be-befaßt. Denn die Fragen der Religionsvermittlung an Schulen ist Teil des Kulturstaates Deutschland und

Daß sich der Deutsche Bundestag mit dieser Frage befaßt, zeigt meiner Meinung nach aber, daß das Thema zumindest von gleich grundlegender Bedeutung ist, wie wenn er sich mit Kulturfragen, Sozialfragen, Wirtschaftsfragen, Rechtsfragen oder Sicherheitsfragen befaßt.

gehört mitten hinein in die Verantwortung auch des Bundestages, selbst dann, wenn man bedenkt, daß die Verantwortung für die Religionsfragen geteilt ist, ganz bewußt geteilte Verantwortung darstellt. Denn der Staat entscheidet nicht, was die Inhalte des Religionsunterrichtes sind.

Ich möchte in meinen einführenden Worten insbesondere Bezug nehmen auf das Wort der deutschen Bischöfe. Was ist mir darin wichtig? Es ist der einladende Charakter des Religionsangebotes, und ich sage hier: des Glaubensangebotes. Wenn immer in der Sprache von Glaube, Hoffnung, Liebe so unter den Menschen gesprochen würde wie hier – also ich kann mir gar nicht vorstellen, daß etwas Größeres an Attraktivität vom Glauben ausgehen könnte als in dieser Weise. Denn das Bischofswort ist glaubensstiftend, einladend in der Nachfolge Christi spricht es über Liebe und Hoffnung. Allerdings ist es auch ein Wort, das uns klarmacht, wie wichtig das Angebot zu Orientierung und Sinn im Leben ist. Denn kein Mensch kann, ohne Fragen nach dem Sinn des Lebens zu stellen, ohne nach der Bedeutung, nach der Interpretation der eigenen Möglichkeiten und Grenzen zu suchen, Leben gestalten. Und wichtig ist auch zu erkennen, daß es jenseits der Politik (durch die Religion inspirierte) Wertegrundlagen gibt, auf die auch die Politik aufbaut. Insofern ist das nicht eine Privatangelegenheit, sondern eine Angelegenheit, die das gesamte Gemeinwesen und seine tragenden Grundlagen betrifft.

In dem Text des Hirtenwortes ist wenig die Rede von

Zwang, von Ängsten, von Androhungen, sondern seine Aussagen machen Lebensmut, geben Perspektiven. Wohl wissend, daß Religionslehrerinnen und -lehrer es heute schwer haben, in einer Welt, in der alle anderen Angebote lauter, verlockender, eindringlicher sind und manches verdecken von dem, was Menschen wirklich suchen. Wenn dem so ist, dann ist es heute abend für uns wichtig zuzuhören, mitzudenken, miteinander zu sprechen; sei es, daß es um die Frage geht, wie wir es heute mit Konfessionalität und Ökumene halten, sei es in der Frage: Erreichen wir mit dem Religionsunterricht überhaupt noch die Menschen? In diesem Zusammenhang möchte ich Ihnen sagen: Woher dieser Kleinmut? Hören wir einmal auf die Stimmen in den neuen Bundesländern, die uns sagen – ich zitiere es einmal wörtlich – „Wir haben es verdammt schwer". Das höre ich von evangelischen Pfarrern, die ein sehr ambivalentes Verhältnis zur Kirche, zur Institution, haben, zugleich Suchende, sich Zuwendende und auch sich Abwendende sind. Sie sagen, daß sie bei allen Konflikten und mühsamer Suche dennoch die Hoffnung nicht aufgeben und daß es bei allen Widerständen doch vorangeht. Eine andere Frage ist: Wie halten wir es mit dem Dialog mit anderen Religionsgemeinschaften, mit den anderen Konfessionalitäten? Im Bischofswort ist deutlich zu vernehmen, daß das Grundgesetz für diese Öffnung nicht verändert werden muß. Es sind eher andere Rechtsfragen, die uns in diesem Feld zu schaffen machen. Ich denke, davon wird heute abend ebenfalls die Rede sein.

Ich möchte meinen kurzen Beitrag schließen mit einem Gedanken, der meine persönlichen Überzeugung widerspiegelt: Was wird eigentlich aus den Menschen, wenn man ihnen das Wichtigste versagt, was sie zum Leben brauchen? Wenn wir auch in der Politik nur noch an die Frage ökonomischer, materieller, sozialer, innerer und äußerer Sicherheit denken, dann springen wir zu kurz. Vielmehr gilt der Satz: Der Mensch lebt nicht vom Brot allein. Und ich möchte Ihnen sagen, daß viele, die in diesem Parlament arbeiten – so schwierig auch unsere Situation gegenwärtig ist, wir haben schon bessere Zeiten als Parlament gehabt, es sind vielleicht sogar die schwierigsten der Nachkriegszeit –, daß es darin sehr viele gibt, die in der Nachfolge Christi, ob als katholische und evangelische Christen oder als Angehörige anderer Religionsgemeinschaften, nicht nur auf das Diesseits setzen, sondern auf der Suche nach Gott und dem Göttlichen sind und fragen, was dieser Auftrag heute in der Welt bedeutet. Das ist ein Zeichen der Hoffnung.

Was wird eigentlich aus den Menschen, wenn man ihnen das Wichtigste versagt, was sie zum Leben brauchen?

Ich danke Ihnen.

Der schulische Religionsunterricht ist immer zugleich zeitlos und aktuell. Der christliche Glaube hat in besonderer Weise rationales Denken, Mitteilbarkeit seiner Botschaft und Einwurzelung in verschiedenen Sprachen und Kulturen zugelassen und gefördert, wie wohl keine andere Religion. Dies ist auch eine Voraussetzung der Tradierung des Glaubens. Schon sehr früh hat die vom Glauben erleuchtete Vernunft, die sein tieferes Verständnis sucht, in den Bekenntnissen Formen geschaffen, die ihm entsprechen. Dies geht bis zur Schaffung von so etwas wie Katechismen, die bis zum heutigen Tag ein taugliches Instrument der Glaubensvermittlung darstellen und zugleich viele Wandlungen durchgemacht haben.

Der schulische Religionsunterricht ist nicht der einzige Ort, wo der christliche Glaube an die kommenden Generationen weitergegeben wird. Wir sprechen von verschiedenen „Lernorten des Glaubens", z.B. der Familie als der Basis, dem Kindergarten der Pfarrgemeinde, der Jugendgruppe und der Jugendarbeit überhaupt, der Hinführung zum konkreten Glaubensvollzug und zu den Sakramenten in der Gemeindekatechese, das vielfältige Leben der Gemeinde selbst usw. Hinzu kommen die Medien mit ihrem Einfluß auch auf das Glaubensverständnis junger Menschen. Dies gibt so etwas wie ein Netzwerk des Glaubens. Jeder Lernort hat seine spezifische Leistungsfähigkeit. Unverzichtbar ist der Mutterboden der Familie, aber auch sie wäre überfordert, wenn man von ihr die ganze religiöse Sozialisation verlangen würde. Jeder Lernort hat seine Aufgabe und seine Chance. Man darf sie nicht durch überhöhte Ansprüche überfordern. Der schulische Religionsunterricht kann nicht alles auffangen, wenn die religiöse Entwicklung in der Familie und die aktive Zugehörigkeit der Gemeinde fehlen. Darum kommt alles darauf an, daß sich die verschiedenen Lernorte des Glaubens ergänzen und miteinander vernetzt werden.

Der Ort des Religionsunterrichtes ist die Schule. Er ist in den meisten Bundesländern ein ordentliches Lernfach. Darum nimmt der Religionsunterricht, sogar in besonders sensibler Form, an den Wandlungen und Reformen der Schule teil. Es gibt gewiß wenige Fächer in der Schule, über die in den letzten Jahrzehnten so viel in Pädagogik und Didaktik diskutiert worden ist wie über den schulischen Religionsunterricht.

Hier muß man sich freilich vor falschen Antithesen hüten. Der Religionsunterricht in der Schule dient gewiß nicht zuerst der christlichen Gemeinde, gleichsam als Zulieferer des religiösen Nachwuchses. Er soll zuerst der Bildung und Erziehung des jungen Menschen dienen, damit er sein Leben mit allen Aufgaben, Veränderungen und Krisen selbst gestalten und bewältigen kann. Dies muß ganzheitlich geschehen, Leib und Seele, individuelle Reifung und Gemeinschaftsfähigkeit betreffen. Dies geschieht ganz und gar mit Mitteln der Schule. Der schulische Religionsunterricht zielt auf eine selbständige Kenntnis des christlichen Glaubens. Dies ist gar nicht möglich ohne Auseinandersetzung mit ihm, ohne Offenheit zu den anderen christlichen Kirchen und zum Judentum, ohne das Gespräch mit den nicht-christlichen Religionen. Dies erfolgt durch eine rationale, gesprächsoffene Argumentation, die selbstverständlich den einzelnen Schularten und Altersstufen entsprechen muß. Es

Der schulische Religionsunterricht zielt auf eine selbständige Kenntnis des christlichen Glaubens.

sind der Boden, die Atmosphäre und die Bedingungen der jeweiligen Schule, die die Beschäftigung mit der christlichen Religion mitprägen. So gehört der Religionsunterricht auch in den Kanon der verschiedenen Fächer und ihrer Zusammenarbeit. Der Umgang mit der Geschichte und Kultur unseres Landes und Europas verlangen ein Minimum an Kenntnis wenigstens der Grundlagen der christlichen Religion. In diesem Sinne erfüllt der Religionsunterricht auch einen Dienst für andere Fächer und die Schule überhaupt.

Der schulische Religionsunterricht ist in seiner Aufgabe eine umfassende Hilfe zur wachsenden Menschwerdung des Jugendlichen. Er soll ihm helfen, sein Leben unter verschiedenen Bedingungen anzunehmen und zu verstehen. Dieses ist immer eingebettet in das gesellschaftliche Leben mit seinen kulturellen Voraussetzungen und den Erfordernissen für einen konkreten Beruf. Der schulische Religionsunterricht soll auch dazu befähigen, sich nicht nur mit dem Christentum, seiner Erscheinung und seiner Geschichte, kritisch auseinanderzusetzen, sondern mit allen Formen von Religionen, auch mit ihrem Mißbrauch und besonders ihren Zerrformen. Ich brauche nur Aberglauben, magische Praktiken und Satanskulte zu nennen.

Der Horizont der Schule erweitert sich selbstverständlich in die Gesellschaft hinein. Der junge Mensch soll erzogen und gebildet werden durch Ziele, Normen und Vorbilder, an denen er selbst wächst. Darum darf auch die Schule nicht verkürzt werden auf das bloße Erlernen von Kenntnissen und Techniken allein. Dies wäre sogar eine Gefahr für junge Menschen. Denn es kommt nicht nur auf optimales Funktionieren in der Gesellschaft und auch in der Arbeitswelt an. Dies würde am Ende nur zu einer reibungslosen Anpassung führen. Überhaupt erschöpfen sich die Bedürfnisse der Gesellschaft nicht in den ökonomischen, technischen, organisatorischen, sozialen und politischen Gegebenheiten. Aber dieses „Mehr" kommt selten zur Sprache. Deswegen gibt es heute überall die Feststellung eines Verlustes von Werten im Sinne gemeinsamer Maßstäbe und

Lebensüberzeugungen, die zugleich die Basis für das individuelle Leben und die Gestaltung unserer Gesellschaft leiten. Auch wenn man den Wertewandel nicht nur negativ einschätzt, so gibt es zweifellos einen großen Mangel an Konsens über die Werte, die das Leben in unserer Gesellschaft mitbestimmen. Eine hochgradige Individualisierung, die gewiß dem Menschen viele Freiheiten verleiht, mindert faktisch die Bindungskräfte in unserer Gesellschaft. Deshalb erhebt sich, gerade im Augenblick, ein immer größeres Lamento über fehlende Orientierung und eine immer geringere Geltung verbindlicher Werte. Viele beklagen diese Situation, die dies vor wenigen Jahren nicht so ausgesprochen hätten. Die Schatten sind länger geworden, so daß man sie nicht mehr übersehen kann.

An dieser Stelle hat der schulische Religionsunterricht eine alte und zugleich neue Aufgabe. Es geht ihm immer um den ganzen Menschen in allen seinen Dimensionen. So trägt er zur persönlichen Identitätsfindung bei und zur Handlungsführung im Alltag. Er lehrt umzugehen mit den Erfahrungen menschlicher Kontingenz, der Krankheit, des Todes, der Lebenskrisen und der Schuld. Er zeigt dem Menschen, daß er wieder auf die Beine kommen kann, auch wenn er strauchelt. Zur Identitätsfindung gehört nicht weniger die soziale Integration, die ohne Einübung in die Mitmenschlichkeit, ohne Vertrauen und ohne Mitwirkung am öffentlichen Leben nicht voll gelingt. Zugleich geht der Blick über den Menschen hinaus, indem auch die Grundlagen des ökologischen Verhaltens aufgezeigt werden: das Verhältnis zu den Tieren, Pflanzen und zur nichtbelebten Welt, Schonung der Ressourcen für die nachkommenden Generationen. Schließlich geht es aber auch darum, daß der Mensch Mensch bleibt und sich nicht durch allerhand Verführungskünste umgarnen läßt. Man denke an den Umgang mit der Werbung, angebliche Konsumzwänge, aber auch die Wirkungen eines ungezügelten Marktes. Diese Überlegungen geben auch Anlaß, darüber nachzudenken, warum der Religionsunterricht in der Berufsschule und den anderen Schulen der Arbeitswelt – weniger bei den Schülern, sondern bei vielen in Industrie und Handwerk Verantwortlichen – auf wenig Verständnis stößt. Die menschliche Grundbildung, zu der Religion nun einmal gehört, ist auch für die Veränderungen unserer Arbeitswelt wichtiger als ein Detailwissen, das ohnehin rasch verfällt.

Der Glaube ist überzeugt, daß man diese Verhaltensweisen nicht ausüben und die Findung des Menschen zu seiner Identität auf die Dauer nicht gelingen kann, ohne sich des Halts und der Geborgenheit vor Gott zu vergewissern. Es muß gerade heute ein erstes Ziel des schulischen Religionsunterrichtes sein, die spärlichen und oft verdeckten Spuren der Transzendenz in unserem Leben aufzuzeigen und den Himmel über unseren Dächern offenzuhalten.

Es muß gerade heute ein erstes Ziel des schulischen Religionsunterrichtes sein, die spärlichen und oft verdeckten Spuren der Transzendenz in unserem Leben aufzuzeigen und den Himmel über unseren Dächern offenzuhalten.

Es ist noch nicht erwiesen, ob man auf die Dauer Menschenwürde in jedem einzelnen Fall und für alle Menschen bewahren und verteidigen kann ohne eine Gründung menschlicher Personalität in Gott selbst. Die Diskussion über die Universalität der Menschenrechte steht unter dieser Hinsicht noch in den Anfängen. Natürlich gibt es eine säkulare Alltagsethik, die viele Menschen durchaus instinktiv und pragmatisch gut inspiriert. Hier darf man freilich die Fernwirkungen des christlichen Glaubens in den Fundamenten der bisherigen Gesellschaft nicht übersehen. Wir sind, auch wenn wir nicht glauben, tiefer vom Christentum geprägt, als wir wissen. Aber dieses kulturelle Gut ist kein naturales Erbe, das man einfach biologisch weitergibt. Wenn die zugrunde liegenden Einsichten nicht immer erneuert und die daraus entstehenden Normen nicht stets gepflegt werden, verdunsten diese selbst im Lauf der Zeit. Wenn nicht alles trügt, stehen wir in einem Prozeß, wo diese Ausdünstung vom Christentum überkommener Lebensüberzeugungen schon in hohem Maß eingesetzt hat.

Hier muß man zugleich vor einer Selbstüberschätzung und einer Überforderung warnen. Der schulische Religionsunterricht hat gerade in diesem Kontext von Hilfen zur tieferen Menschwerdung unersetzliche Chancen. Aber ihm allein kann diese Aufgabe nicht aufgebürdet werden, so wenig Grundwerte bloß von den Kirchen gepflegt und verantwortet werden. Der Staat und die Gesellschaft sind jedoch weniger als je in der Lage, ein konkretes Ethos für die Bürger vorzugeben. Der gemeinsame Nenner, auf dem unser Gemeinwesen aufruht, wird zwar an formellen Regelungen größer, aber ärmer im Blick auf eine verbindende und verbindliche Substanz. Hier erkennt der Staat deutlicher als früher die ihm auferlegten Grenzen, die einerseits in der Religionsfreiheit und der Neutralität in Weltanschauungsfragen notwendig sind, anderseits aber auch eine strukturelle Schwäche offenbaren. Es gibt, wenn man den Pluralismus konsequent durchführt, keine konkrete letzte Gemeinsamkeit, die real in einzelnen Subjekten existiert. Dies wäre praktisch die Aufgabe des Pluralismus, der sich immer wieder in Konflikt und Konsens zu einer begrenzten Gemeinsamkeit durchfinden muß. In diesem Sinne muß der Staat auch seine „Armut" und seine Entzauberung bekennen. Es gibt ein solches „Unbehagen in der Modernität" (P. L. Berger), wenn wir uns diesen Aporien nicht verschließen. In diesem Sinne wird verständlich, warum auch der Staat ein Interesse haben kann an dem, was der schulische Religionsunterricht für die Gesellschaft leistet. Der Religionsunterricht darf ja nicht

einfach von den „Interessen“ der Kirchen her betrachtet werden, er hat nicht weniger Bedeutung aus der Sicht des Staates, auch wenn er nicht einfach das Vehikel einer Staatsreligion oder einer Zivilreligion ist. Die Distanz des Staates zu einzelnen Religionen und Kirchen ist ja nicht gleichzusetzen mit einer Indifferenz gegenüber dem Religiösen überhaupt. überhaupt. Weltanschauliche Neutralität heißt nicht Wertneutralität. Religionsfreiheit erschöpft sich nicht im negativen Aspekt. Der Staat muß der Religion und damit auch den Kirchen als ihren Trägern einen Platz in der Gesellschaft einräumen, von wo aus sie selbständig ihre eigene, zugleich jedoch für alle nützliche Aufgabe wahrnehmen und gestalten können.

Weltanschauliche Neutralität heißt nicht Wertneutralität.

Es mag unbequem sein, daß es das konkrete Ethos der Bürger nur in bestimmten, gelebten Überzeugungen gibt. Diese beschränken sich nicht nur auf die Individuen, die sich in einzelnen Fällen ein Gemisch aus verschiedenen religiösen Strömungen basteln, sondern verdichten sich in Gruppen, größeren Gemeinschaften und in den Kirchen. Das Ethos, auf das der Staat angewiesen ist, das er aber selber nicht garantieren kann, ist nur in solchen konkreten Gemeinschaften lebendig, die entsprechende Orientierungen in aller Öffentlichkeit vertreten und zur Geltung bringen. Dies ist wohl auch ein Grund, warum unsere Verfassung sich nicht mit einer summarischen Wiederholung der Kirchenartikel der Weimarer Verfassung begnügt, sondern vom schulischen Religionsunterricht im Grundrechte-Teil spricht.

Spätestens an dieser Stelle muß auch vom schulischen Religionsunterricht als einer Veranstaltung von Staat und Kirche gesprochen werden. Auch hier zeigt sich wiederum eine „res mixta“, die aus unterschiedlichen Perspektiven den einen und ganzen Menschen ins Auge faßt. Schulischer Religionsunterricht ist darum auch kirchlicher Religionsunterricht. Dies schließt einen Unterschied zu anderen Formen religiöser Information ein. Ähnlich wie es Religionswissenschaft und Theologie gibt, gibt es einen schulisch-kirchlichen Religionsunterricht und so etwas wie eine neutral sich gebende Religionskunde. Dabei will ich an dieser Stelle nicht untersuchen, ob es unter philosophischen und hermeneutischen Gesichtspunkten überhaupt so etwas wie eine voraussetzungslose Wissenschaft und Wissensvermittlung gibt. Neuere Erkenntnisse, die die Aufklärung nicht verleugnen, kommen hier zu einem grundlegenden Zweifel. Dann käme alles darauf an, Voraussetzungen im Verstehen nicht zu leugnen, sondern sie offenzulegen und kritisch zu reflektieren. Es mag nützlich sein, bei einem hohen Verlust religiösen Wissens und angesichts der intensiven Verbreitung bisher bei uns kaum bekannter Religionen an eine Konzeption wie Religionskunde zu denken. Viele schütteln den Kopf, wenn man sie nach David fragt. Manche verwechseln Colgate mit Golgota. Eine Auffri-

Viele schütteln den Kopf, wenn man sie nach David fragt. Manche verwechseln Colgate mit Golgota.

schung des religiösen Wissens ist schon kulturell notwendig, wenn wir nicht zu geistigen Banausen werden wollen. Aber der Religionsunterricht unterscheidet sich dadurch, daß er nicht einfach religiöse Fakten und Daten aus einer fernen Vergangenheit oder einer distanzierten Gegenwart referiert, sondern er bringt die religiöse Botschaft einer konkreten Glaubensgemeinschaft in den jetzigen Lebensverhältnissen, also im Hier und Jetzt zur Geltung. Damit ist ein Anspruch formuliert, daß z.B. das Evangelium Jesu Christi auch heute in der individuellen und sozialen Lebensgestaltung ein wichtiges Wort mitzureden hat. Es ist nicht vergangene Historie, sondern will seine Geistesgegenwart anmelden. Natürlich ist dies schwieriger. Ohne sorgfältige Unterscheidung zwischen dem historisch Bedingten und dem zeitlos Gültigen, ohne überzeugende rationale Argumentation und ohne eine ständige Interpretationsaufgabe läßt sich der christliche Glaube für heute nur schwer vermitteln, jedenfalls in unserem kulturellen Kontext. Aber dazu gehören auch der personale Einsatz und das Zeugnis des Theologen und des Religionslehrers, der erkennbar und glaubwürdig hinter dieser Botschaft stehen muß. Dies ist kein beliebiges, zusätzliches Beiwerk, sondern gehört zur Mitte des Religionsunterrichtes und macht gerade seine Stärke aus. Darum möchte ich auch an dieser Stelle allen Religionspädagogen und Religionslehrern für einen solchen Einsatz danken.

Es ist selbstverständlich, daß ein so aufgefaßter schulischer Religionsunterricht voll und ganz die Religionsfreiheit einschließt. Dies gilt für die Eltern, den religionsmündigen Schüler, die bekenntnisfreien Schulen und den Religionslehrer. Deshalb gibt es auch für einen grundsätzlich konfessionell gebundenen Schüler die Möglichkeit der Abmeldung. Es gibt auch einen Ethikunterricht, der Ersatz- und Alternativfach sein kann. Dies bejahen wir alles im Interesse der Religionsfreiheit aller Beteiligten, aber auch der Freiheit und Würde des Glaubens und seiner Vermittlung. Ähnliches gilt für einen möglichen Religionsunterricht nichtchristlicher Religionen in unserem Land, worüber ich jetzt freilich nicht sprechen möchte.

Gerade vor diesem Hintergrund wird es auch verständlicher, warum der Religionsunterricht, der an der Schule von den Kirchen erteilt wird, ein konfessioneller Religionsunterricht ist. Nur so ist er in unseren Verfassungen gewährleistet. Darum hat niemand das Recht, diese elementare Grundlage, die noch näher auszuführen sein wird, zu verändern, es sei denn, daß die Religionsgemeinschaften dies in einem freilich von allen Seiten notwendigen Konsens übereinstimmend beschließen und die Zustimmung der zuständigen staatlichen Behörden erhalten. Aber es kommt nicht nur auf die formelle Garantie des Grundgesetzes an. Der Buchstabe muß mit Geist erfüllt werden. Dies wird heute weitgehend durch einen verzerrten Begriff von Konfession verhindert. Konfession hat zunächst nichts zu tun mit einem engstirnigen Konfessionalismus, der seine eigene Identität nur in der negativen Abgrenzung und Distanzierung zum anderen zu finden glaubt. Im Zeitalter der ökumenischen Bewegung, die eine gegenseitige Öffnung und einen gezielten Dialog verlangt, ist so etwas freilich immer noch – manchmal in verfeinerter Form – wirksam, aber im Grundsatz überholt. Es kann heute keinen kirchlichen Religionsunterricht geben, der nicht von Grund auf ökumenisch offen ist und die Begegnung mit den anderen christlichen Kirchen sucht und vermittelt. Die Alternative zu einer isolierten Selbstbehauptung ist freilich nicht eine unverbindliche Selbstaufgabe, sondern ist die Suche und Findung der eigenen Identität in und mit der Begegnung und durch den Diskurs mit dem Partner. Ich wiederhole es noch einmal: Es kann keinen konfessionellen Religionsunterricht geben ohne diese grundlegende und unersetzliche Struktur. Jeder Religionsunterricht ist der Religionsunterricht einer konkreten Glaubensgemeinschaft. Man darf den Begriff der Konfession, wenn man ihn schon verwendet – für die katholische Theologie ist er kein tragender Begriff im Verständnis von Kirche, wohl wird er staatskirchenrechtlich als deskriptive Kategorie verwendet – nicht nur negativ, man muß ihn vielmehr positiv bestimmen. Dann drückt er nichts anderes aus als die konkrete, faktisch gültige Lebenswelt einer bestimmten Glaubensgemeinschaft. Es ist nicht einzusehen, was gegen diesen Begriff von Konfession/konfessionell in diesem Sinne spricht. Religion ist auch im Bereich des Christentums keine unverbindliche Größe, sondern hat einen bestimmten, vorgege-

Es kann heute keinen kirchlichen Religionsunterricht geben, der nicht von Grund auf ökumenisch offen ist und die Begegnung mit den anderen christlichen Kirchen sucht und vermittelt.

benen, freilich immer wieder neu zu bestimmenden und zu deutenden Gehalt („das Evangelium“) und eine damit zusammenhängende Sozialform. Der Religionsunterricht in der Schule hat seine eigene Funktion und darum auch seine Grenzen im Blick auf die Leistungsfähigkeit im Ganzen des Glaubens. Er ist *ein* Lernort des Glaubens. Aber schon die Beschreibung dieses Glaubens wäre unvollständig ohne das beständige Aufzeigen des Lebenszusammenhangs mit anderen Lernorten und mit dem ganzen Leben der Kirche. Ja, auf die Dauer hätte der schulische Religionsunterricht, wenn er vor allem in seinem Anspruch für die Gegenwart gesehen wird, keine großen Überlebenschancen, wenn er nicht nur seiner Herkunft nach auf die Kirche angewiesen bleibt, sondern immer wieder auch im kirchlichen Leben Rückhalt und Halt findet. In diesem Sinne gibt es durchaus bei aller Selbständigkeit des Religionsunterrichts eine Zusammengehörigkeit von schulischem Religionsunterricht und Gemeindekatechese, von Religionsunterricht und Gemeinde. Gerade durch diese konkrete Bestimmung des Religionsunterrichtes wird die gelebte Religion erst verständlich, vollziehbar und letztlich auch kritikfähig.

Bei der Sehnsucht nach der Einheit der Kirche ist dies unbefriedigend. Aber die Lösung des Rätsels liegt nicht in einem noch nicht genügend geklärten und deshalb noch nicht reifen Miteinander im schulischen Religionsunterricht, sondern grundlegend in einem tieferen Zusammenwachsen der immer noch getrennten Kirchen. Es ist schmerzlich zu lernen, daß das wirkliche Ganze des Glaubens mit allen wirklichen Eigenheiten und allen Prägungen jetzt und in dieser Stunde nur in verschiedenen Kirchen und Glaubensgemeinschaften zu gewinnen ist, die ihre gemeinsame Wurzel immer mehr entdecken, darum auch zu vielen konvergierenden Tendenzen kommen, dennoch aber auch miteinander konkurrieren und in gewisser Weise manchmal divergieren. Wer konkret in der ökumenischen Arbeit steckt – und ich bin das seit genau 30 Jahren –, der ist dankbar für jeden gemeinsamen, verbindlichen Schritt, weiß aber auch um die Enttäuschung, wenn eine Einheit vorweggenommen wird, die sich nachher als Illusion oder Fikton erweist. Gerade weil es diese Unterschiede noch gibt, muß der Dialog im Sinne eines gezielten Diskurses noch entschiedener geführt werden. Fähigkeit zum Pluralismus wächst nicht nur in der Gesellschaft, sondern muß auch immer wieder in der konfessionellen Pluralität des christlichen Glaubens gelernt werden.

Fähigkeit zum Pluralismus wächst nicht nur in der Gesellschaft, sondern muß auch immer wieder in der konfessionellen Pluralität des christlichen Glaubens gelernt werden.

Deshalb gibt es aber keinen Stillstand. Wenn die Grundüberzeugung im eben beschriebenen Sinne gewährleistet ist, dann kann es je nach dem Stand des ökumenischen Miteinanders viele Formen der Zusammenarbeit geben. Diese ist naturgemäß begrenzt, freilich ausbaufähig. Sie kann nicht nach Beliebigkeit von einzelnen Personen und untergeordneten Behörden verfügt werden, sondern bedarf der geordneten Absprache und Vereinbarung durch die zuständigen

Instanzen. Was zwischen den Kirchen an Kooperation möglich ist, soll nutzbar gemacht werden. Dies gilt nicht nur für die Schulen und die Schüler, sondern auch für die Lehrer und die Unterrichtsmittel (parallele Elemente in den Lehrplänen, Verwendung von Unterrichtsmaterialien, Zusammenarbeit der Fachkonferenzen, Absprachen über gemeinsame Unterrichtsphasen, gemeinsame Projekte, Angebote der Schulpastoral, Fortbildung der Lehrer usw.). Hier ist ein weites und offenes Feld, das nach meiner Kenntnis noch sehr wenig genützt wird.

Im übrigen ist in der Schrift „Die bildende Kraft des Religionsunterrichtes“ der Deutschen Bischofskonferenz vom 27. September 1997 (= Die deutschen Bischöfe 56) deutlich von solchen flexiblen Verhaltensweisen und von Ausnahmefällen die Rede. Ich möchte nur zwei Sätze daraus zitieren: „Die schulpraktischen Gegebenheiten machen u.U. in bestimmten Regionen sowie in einzelnen Schularten bzw. –formen ein flexibles Eingehen auf die besonderen personellen und strukturellen Verhältnisse erforderlich ... Dabei muß gewährleistet bleiben, daß solche Regelungen die grundsätzliche konfessionelle Identität des Religionsunterrichtes auf der Basis der Einheit von Lehrer, Schülern und Lehrinhalt nicht faktisch außer Kraft setzen. – In diesem Rahmen und unter diesen Voraussetzungen empfiehlt sich die Kooperation der Kirchen im Religionsunterricht, z.B. bei gemeinsam interessierenden Themen und Aktionen. In diesem Sinne gibt es Modifikationen des Konfessionalitätsgrundsatzes, z.B. bei Modellversuchen, Sonderfällen und Ausnahmesituationen.“

S. 78) Hier gibt es längst konkrete Vereinbarungen und Abmachungen, wie z.B. für Sonderschulen, Berufsschulen, die Sekundarstufe II usw. Auf dieser Basis ist auch eine Vermittlung von Religion und Glaube an Schüler möglich, die nicht der eigenen oder keiner Konfession angehören. „Konfessioneller Religionsunterricht im ökumenischen Geist erlaubt in Ausnahmefällen den Gaststatus von Schülern und Schülerinnen einer anderen Konfession insbesondere dann, wenn der Religionsunterricht dieser Konfession nicht angeboten werden kann und das Profil des katholischen Religionsunterrichtes nicht in Frage gestellt wird. – Dem Wunsch konfessionsloser Eltern und Kinder mit dem Anliegen, im Religionsunterricht das Christentum mit seinen Werten und seinen Kulturen kennenzulernen, kann entsprochen werden, wenn der katholische Religionsunterricht als solcher gewährleistet bleibt. – Analog gilt dies für die besondere Situation, z.B. in den neuen Bundesländern, wenn Regelungen getroffen werden, die eine Aufnahme nicht getaufter Schülerinnen und Schüler in größerer Zahl ermöglicht." (S. 79)

Vor diesem Hintergrund ist nach Meinung der katholischen Kirche ein neues Fach, wie etwa „Lebensgestaltung-Ethik-Religionskunde" (LER), nicht notwendig, da der Religionsunterricht auf der bisherigen Basis flexibel ist zur Aufnahme der dahinterstehenden Grundanliegen. Außerdem ist nach unserer Überzeugung der weltanschaulich neutrale Staat aus grundsätzlichen, verfassungsmäßigen Überlegungen nicht in der Lage, ein mindestens im Vollzug konkret geprägtes, inhaltliches Fach mit unvermeidlichen Wertentscheidungen und bestimmten religionstheoretischen Annahmen vorzuschreiben oder dazu einzuladen. Der schulische Religionsunterricht ist dringender denn je, wenn die jüngeren Generationen den biblischen Glauben kennenlernen und sich mit ihm und seinen Orientierungen vertraut machen

und auseinandersetzen wollen. Es geht freilich um Religion überhaupt. Unsere Verfassungen geben dafür einen genügend weiten Spielraum und eine verläßliche Gewähr auch für die Zukunft. Es liegt an den Kirchen, den Buchstaben mit Geist zu erfüllen. Ich möchte von dieser Stelle aus alle Verantwortlichen, zumal die Religionspädagogen sowie die Religionslehrerinnen und -lehrer, um eine intensivierte Mitarbeit bitten und danke jetzt schon sehr herzlich allen, die uns dazu ermutigen.

Liebe Zuhörerinnen, liebe Zuhörer, ich muß auch sagen, liebe Zuschauerinnen und Zuschauer im Phönix-Kanal. Danke für eine Chance, als Fernsehdirektor vom Süddeutschen Rundfunk nach Bonn kommen zu dürfen. Das tut man nur gelegentlich. Es muß mehrere gute Gründe geben. Der erste Grund war das Thema. Als ich erfuhr, es geht um Religion und Religionsunterricht. Das interessierte mich. Also habe ich zugesagt. Die Möglichkeit, hier moderieren zu dürfen, hat mich gefreut. Ein zweiter Grund zu kommen: Als ich las, wer kam, die Personen, die jetzt miteinander sprechen wollen und Ihnen etwas sagen wollen. Ein dritter Grund kam hinzu: Es ist eine besondere Auszeichnung, bei Ihnen in einem parlamentarischen Raum moderieren zu dürfen, denn ich habe in einem guten Religionsunterricht, einem guten Politikunterricht und in einer guten Politikausbildung gelernt, daß Politik Konfliktauftrag ist. Aber dann hat mir einer gesagt, Politik ist nicht Konfliktauftrag, sondern Konfliktaustrag. Und das hat überhaupt nichts mit Harmonie zu tun, vor allen Dingen nicht mit der Verordnung von Harmonie. Aber jeder Austrag hat ein Ziel, nämlich festzustellen, ob und wo es Konsens gibt. Dies ist bei einem solchen Thema hoffentlich leicht, und das ist der vierte Grund, warum ich gekommen bin. Ich bin neugierig darauf, was nun gesagt wird. Es gibt nur eine christliche Vereinbarung: „Liebe deinen Nächsten wie dich selbst“. Das bedeutet: Jeder hat nur höchstens fünf Minuten. Was für die Kurzstatements gilt, gilt in verkürzter Form auch für Sie, wenn Sie danach gebeten werden, sich mit kommentierenden Bemerkungen oder Fragen zu äußern. Und damit fange ich an. Ich habe es mir einfach gemacht: Um keine Manipulation in der Reihenfolge zu haben, die nicht sofort einsehbar ist, folge ich dem Alphabet. Ich nenne nicht die Taufnahmen, sondern die richtigen Namen und beginne mit Herrn Kultusminister Althaus, den ich bitte zu sagen, was er für die Einführung ins Thema für richtig hält.

Dieter Althaus

Frau Präsidentin,
hochverehrter Herr Bischof,
liebe Kolleginnen und Kollegen,
meine sehr verehrten Damen und Herren,

gestatten Sie es mir doch, noch zu sagen, daß ich an so einem Tag natürlich sehr froh bin, hier zu sein. Heute ist der 7. Oktober, und eigentlich hatte die Führung der DDR einmal gedacht, heute den 48. Jahrestag zu feiern. Ich denke, diese Erinnerung ist auch ein Grund, warum wir bereits 1990 bei den Vorbereitungen zur Neugründung des Freistaates Thüringen vielfältige Diskussionen geführt haben, wie Schule neugestaltet werden soll – auch im Blick auf die Möglichkeit, den Religionsunterricht einzuführen oder nicht. Die Religiosität, die konfessionelle Bindung ist bei uns in den neuen Ländern anders als in den sogenannten alten Ländern. Inzwischen hat sich Thüringen neuverfaßt, und es gab *keine* heftige Debatte um die Frage, ob Religionsunterricht eingeführt werden soll, trotz der vielleicht sehr deprimierenden Zahlen im Vergleich zu anderen Ländern in Deutschland. Aber im Kern ist diese Debatte nicht kontrovers gewesen.

Dabei haben wir uns nicht nur auf Artikel 7 GG bezogen, sondern es gab eigentlich mehr Bezug zur Realität, in der wir gelebt haben. In unsere Verfassung haben wir geschrieben; „Religions- und Ethikunterricht sind in den öffentlichen Schulen ordentliche Lehrfächer“. Das ist schnell geschrieben, aber die

Wirklichkeit zu gestalten, das ist natürlich komplizierter. Ich darf Ihnen dazu zwei Zahlen zur Kenntnis bringen. Im Schuljahr 1992/93 – da rede ich also noch gar nicht von der direkten Einführung 1991 – konnte für etwa 16% aller Schülerinnen und Schüler beider Konfessionen, d.h. für ungefähr 11% der evangelischen und für etwa 5% der katholischen Schülerinnen und Schüler, Religionsunterricht angeboten werden. Heute nehmen schon etwa 21% am Unterricht in evangelischer und gut 6% in katholischer Religionslehre teil. Daß dies innerhalb von vier Jahren möglich war, hat mich verblüfft. Eine so schnelle Entwicklung hatte ich nicht erwartet. Hinter solchen Zahlen steckt das ungewöhnliche Engagement der Kirchen und vieler Lehrerinnen und Lehrer, die sich auf diese neuen Fächer eingelassen haben. Wir konnten keine neuen Pädagogen einstellen, denn wir haben in den nächsten Jahren einen dramatischen Schülerrückgang zu erwarten. Trotzdem haben wir unser Ziel erreicht, ungefähr 700 Lehrerinnen und Lehrer für evangelische Religion und fast 200 Lehrerinnen und Lehrer für katholische Religion zusätzlich zu qualifizieren. Zu diesen Lehrkräften kommen auf der Basis von Gestellungsverträgen zusätzlich etwa 400 Mitarbeiterinnen und Mitarbeiter aus der evangelischen Kirche und gut 100 aus der katholischen Kirche.

Diese Zahlen zeigen, daß wir zum Religionsunterricht und auch zur Einführung des Ethikunterrichts nicht nur Ja gesagt, sondern uns gemeinsam mit den Kirchen bemüht haben, die notwendigen Grundlagen zu schaffen. Inzwischen nehmen z.B. am evangelischen Religionsunterricht etwa 30% Ungetaufte teil. Auch das konnten wir nicht erwarten. Der Religionsunterricht leistet damit einen wichtigen Beitrag zur Orientierung und Erneuerung von Schule. Dadurch kommt ein Impuls in die Schule, der ohne Verfassungsauftrag nicht möglich gewesen wäre, und der Thüringer Verfassung haben immerhin 75% der Bevölkerung zugestimmt.

Natürlich haben wir damit in Thüringen noch lange nicht alle Probleme gelöst. Um gerade in den Diasporagebieten Religionsunterricht anbieten zu können, ist ein sehr großer Organisationsaufwand vonnöten. Hier brauchen wir auch die Offenheit beider Konfessionen für flexible Lösungen beim schulischen Religionsunterricht, z.B. in den Gemeinden oder bei klassenstufenübergreifendem Unterricht oder bei der Kooperation der Konfessionen, um die Pflanzen, die gesetzt worden sind, dann wachsen zu lassen. Wenn Religionsunterricht gut wurzeln soll, dann muß Offenheit hergestellt sein. Nur so kann dieser Unterricht seine Aufgabe erfüllen, für den einzelnen und die Gesellschaft die Fundamente mitzuliefern. Schülerinnen und Schüler von heute, also die Erwachsenen von morgen, leben auf diesen Fundamenten.

Etwa 60 bis 70% der Thüringer Schülerinnen und Schüler besuchen den Ethikunterricht. Deshalb darf es auch hier nicht um Abgrenzung zum Religionsunterricht gehen, sondern um Dialog.

Voraussetzung für dieses dialogische Prinzip ist eine

gute Lehrplanarbeit und eine engagierte Arbeit der Lehrerinnen und Lehrer und der Mitarbeiter der Kirchen.

Die Chance des Religionsunterrichts besteht auch im Impuls für die innere Erneuerung in den Thüringer Schulen.

Die Chance des Religionsunterrichts besteht auch im Impuls für die innere Erneuerung in den Thüringer Schulen. Thüringen hat gut daran getan, den Religionsunterricht trotz der genannten Probleme einzuführen. LER, so wie von Brandenburg praktiziert, ist keine Alternative zum Religionsunterricht. Wir sind unseren Weg bewußt gegangen – gerade wegen unserer Geschichte und der Zukunft dieser Gesellschaft. Vielen Dank.

Wolf-Michael Catenhusen

Meine Damen und Herren, Sie wissen alle, daß die Zukunft des Religionsunterrichts zuallererst in den Schulen entschieden wird und in der Zusammenarbeit zwischen Staat und Kirche auf Länderebene. Daß wir heute hier im Umfeld des Bundestages darüber diskutieren, mag sicherlich auch seinen Grund darin haben, daß ja auch der Religionsunterricht Teil unserer grundgesetzlich organisierten und garantierten Beziehung zwischen Staat und Kirche ist. Dazu möchte ich aus meiner Sicht Stellung nehmen.

Meine Partei, die SPD, erkennt in ihrem Grundsatzprogramm ausdrücklich die besondere Bedeutung an, die das Grundgesetz den Kirchen und Religionsgemeinschaften einräumt. Dazu gehört, daß der Religionsunterricht ordentliches Lehrfach in den öffentlichen Schulen ist und bleibt. Dies hat sich über Jahrzehnte hin bewährt, und es ist wichtig, heute festzustellen, daß es gelungen ist, den Spannungsbogen, daß nämlich der Religionsunterricht zum einen in Übereinstimmung mit den Grundsätzen der jeweiligen Kirche oder Konfession unterrichtet wird und auf der anderen Seite in den Schulen des weltanschaulich neutralen Staates stattfindet, für die Praxis des Religionsunterrichtes durchaus fruchtbar zu machen. Denn Religionsunterricht zielt heute auf Information und Orientierung ab, aber er enthält gleichzeitig ein Identifikationsangebot einer Glaubensgemeinschaft und ermutigt so zum eigenen Bekenntnis. Dies rechtfertigt auch den Ausgangspunkt des konfessionellen Religionsunterrichtes. Er ist im Einzelfall offen für viele, die unabhängig von der Zugehörigkeit zu einer Kirche oder Glaubensgemeinschaft selbst wünschen, am Religionsunterricht teilzunehmen. Durch die Möglichkeit zur Abmeldung wird die Religionsmündigkeit heranwachsender Menschen respektiert. Auch das ist wichtig für die Praxis. Man muß heute feststellen, daß der Religionsunterricht insgesamt bei den Schülerinnen und Schülern Akzeptanz hat. Das zeigen die geringen Abmeldezahlen. Auch zeigen Umfragen eine bessere Akzeptanz, als es Lehrer und Schulen, vielleicht auch Kirchen bisweilen vermuten. Das liegt sicher daran, daß der Religionsunterricht einen hilfreichen Beitrag dazu leistet, daß junge Menschen sich in einer immer komplexeren Gesellschaft orientieren können. Und daran, daß dort der Raum für die Aufarbeitung grundsätzlicher Sinnfragen menschlicher Existenz ist und, meine Damen und Herren, daß junge Menschen gerade im Religionsunterricht den Widerspruch zwischen Werteorientierung als Anspruch und gesellschaftlicher Praxis, für die gerade junge Menschen besonders empfindsam sind, aufarbeiten können, wenn es um Menschenrechte geht, wenn es um Mitmenschlichkeit, wenn es um das Sozialstaatsgebot geht oder um die Bewahrung der Schöpfung. Insofern ist der Religionsunterricht in der Praxis, nicht nur im Anspruch, ein wichtiger und hilfreicher Beitrag zur Werteerziehung in unserer Gesellschaft. Er ist ein integraler Bestandteil des Erziehungsauf-

Man muß heute feststellen, daß der Religionsunterricht insgesamt bei den Schülerinnen und Schülern Akzeptanz hat. Das zeigen die geringen Abmeldezahlen.

trages unseres Bildungswesens und er muß dies bleiben. Wir haben einen weltanschaulich neutralen Staat, aber für den Kontext des Religionsunterrichts ist es wichtig, daß wir in unserer Verfassung durchaus Wertebezüge verankert haben und die Verfassung uns verpflichtet auf eine Orientierung an der Menschenwürde oder etwa am Sozialstaatsgebot.

Es wäre meiner Ansicht nach falsch, ungeachtet der Diskussion um LER, von einer Krise des Religionsunterrichtes zu sprechen.

Es wäre meiner Ansicht nach falsch, ungeachtet der Diskussion um LER, von einer Krise des Religionsunterrichtes zu sprechen. Die heutige Diskussion mag und soll eher dazu beitragen, sich der gesellschaftlichen Funktion des Religionsunterrichts zu vergewissern und sicherlich auch darüber nachzudenken, wie eigentlich Staat und Kirche, denen gemeinsam die Verantwortung für die Ordnung und die Durchführung des Religionsunterrichtes obliegt, wie sie gemeinsam das Potential des Religionsunterrichts für unsere Gesellschaft nutzen können. Dazu noch einige kurze Anmerkungen:

Es ist erstens wichtig, daß die Bestrebungen und auch die Versuche in verschiedenen Bundesländern, ein spezifisches Angebot zur Werteerziehung für die Schülerinnen und Schüler bereitzuhalten, die nicht am konfessionellen Religionsunterricht teilnehmen, im Konsens mit den Kirchen begonnen worden sind und damit gute Hoffnung besteht, daß daraus keine

Diskussion über ein Ersatzfach oder Alternative zum Religionsunterricht wird.

Zweitens, meine Damen und Herren, ist festzuhalten, daß Religionsunterricht nur dann kraftvoll bleibt und Ausstrahlung behält, wenn er sich strikt daran orientiert, wie die religiöse Situation junger Menschen ist, und wenn er auf die Situation heranwachsender Menschen eingeht. Das ist eine Diskussion, meine Damen und Herren, bei der Politiker sehr auf praktische Erfahrung hören sollten. Ich denke, das gilt allerdings genauso für die Kirchen.

Ich erlaube mir als vorletzte Bemerkung, Herr Bischof Lehmann, eine kurze Anmerkung zu dem Thema „Religionsunterricht im Spannungsfeld konfessioneller Identität und ökumenischer Verständigung“. Sie wissen, daß die Praxis in diesem Bereich zum Teil weiter an den einzelnen Schulen vorangeschritten ist, als es Richtlinien oder Vereinbarungen ausdrükken, und Sie wissen auch, daß es hier Erwartungen gibt, die die Kirchen nicht einfach ignorieren können. Und ich bin selbst Teil einer konfessionsverschiedenen Ehe und sage: Es gibt dort Erwartungen, die auch durch die Aussagen der kirchlichen Denkschrift von 1994 noch nicht voll erfüllt werden. Es geht mir nicht

Wir haben in Deutschland keinen Bedarf an neuen Grundsatzdebatten um das Verhältnis von Staat und Kirche, wir haben keinen neuen Bedarf an Grundsatzdebatten über die Legitimität der Tatsache, daß der Religionsunterricht ein ordentliches Lehrfach an öffentlichen Schulen ist.

darum, vom Prinzip des konfessionellen Religionsunterrichtes abzugehen. Aber eine Ermunterung, hier weitere konkrete Schritte zu gehen, möchten Sie gerne auch von meiner Seite entgegennehmen. Wir haben in Deutschland keinen Bedarf an neuen Grundsatzdebatten um das Verhältnis von Staat und Kirche, wir haben keinen neuen Bedarf an Grundsatzdebatten über die Legitimität der Tatsache, daß der Religionsunterricht ein ordentliches Lehrfach an öffentlichen Schulen ist, und, meine Damen und Herren, wenn Bundespolitiker sich an der Debatte beteiligen, dann müssen sie das immer im Bewußtsein tun, daß ihre Verantwortung vor allem darin besteht, politische Entscheidungen zu treffen, die auf einer wertebezogenen Abwägung beruhen; sei es die Bioethik-Konvention oder sei es die Entscheidung in sozialer Verantwortung zu Fragen Armut und Jugendarbeitslosigkeit in unserer Gesellschaft.

Winfried Kretschmann

Herr Bischof Lehmann,
Frau Bundestagspräsidentin,
meine Damen und Herren,

als jemandem, der sich bei den ‚Grünen' in eher sehr kirchenkritischen Kreisen bewegt – wiewohl wir auch viele engagierte Christen bei uns haben –, war mir von vornherein die Aufgabe gestellt zu begründen, warum es auch in einem modernen Verfassungsstaat richtig sein kann, an den Schulen einen bekenntnisorientierten Religionsunterricht beizuhalten. Obwohl wir ja wissen, daß die Trennung von Staat und Kirche zu den fundamentalen Errungenschaften der Moderne gehört und auch in den Gründerstaaten des modernen Verfassungsstaates wie Frankreich oder den USA ja eine strikte Trennung durchgeführt wird. Meiner Ansicht nach liegt der Grund dafür darin, daß der Verfassungsstaat Frieden und Freiheit für seine Bürger gewährleisten muß. Denn auf inhaltliche Werte mit religiösem Wahrheitsanspruch können wir uns nicht einigen. Das heißt, der freiheitliche Staat konstituiert lediglich allgemein verbindliche Regeln, die es ermöglichen sollen, daß einzelne Menschen oder Gemeinschaften ihre inhaltlichen Werte, das, was sie für das „gute Leben" halten, leben und aktiv praktizieren können in einer zusammenwachsenden Welt. In einer Welt, wo unübersehbar immer mehr Pluralität Wirklichkeit wird und die Frage der Konfession nicht mehr, wie Rousseau gesagt hat, einfach eine Frage der Geographie ist, stellt sich diese Frage um so mehr. Der Staat, der diese freiheitlichen Regeln allen bietet und gewährleistet, daß sich alle mit ihnen entfalten können, kann ja selber nicht der sein, der diese Regeln füllt. Ich meine damit: Der Staat kann zwar den Sonntag schützen, aber ob wir uns in ihm auch seelisch erheben, daß können wir nur selber entscheiden. Dies gilt, so glaube ich, für alle Grundwerte, die in der Verfassung verankert sind. Das heißt, der moderne Verfassungsstaat kann nur friedlich existieren, wenn er sich im Kern auf Regeln beschränkt, aber paradoxerweise kann er nicht existieren, wenn sich darin nicht Bürgerinnen und Bürger tätig engagieren und auf ihren Inhalten und Wahrheitsansprüchen bestehen. Das ist der entscheidende Punkt. Eine schwierige Frage ist es dann, ob nun der Staat selber ein Fach installiert, in dem religionskundliche, philosophische und lebenskundliche Fragen für alle gemeinsam unterrichtet werden, oder ob es erwünscht ist, daß auch Religionsgemeinschaften und andere Weltanschauungsgemeinschaften an der Schule ihren Platz haben. Ich beantworte die Frage im Gegensatz zu vielen meiner Parteifreunde so: Nur wer Differenz wirklich zuläßt, Differenz, in der sich die Identität einzelner tatsächlich entfalten und bilden kann, ist auch in der Lage, diese Identitäten und diese Differenz, wenn sie sich gebildet haben, zu integrieren.

Nur wer Differenz wirklich zuläßt, Differenz, in der sich die Identität einzelner tatsächlich entfalten und bilden kann, ist auch in der Lage, diese Identitäten und diese Differenz, wenn sie sich gebildet haben, zu integrieren.

Erzeuge ich diesen Integrationsdruck zu früh, kann ich genau das Gegenteil dessen erreichen, was ich möchte, nämlich daß Menschen um so mehr auf ihren Wahrheitsansprüchen beharren. Diese Entwicklung können wir heute weltweit beobachten: der Fundamentalismus wächst in allen modernen Gesellschaften, und in den anderen ist er herrschende Doktrin. Daher ist es meiner Ansicht nach durchaus erwünscht, solch ein pluralistisches Modell zu haben, wie es bisher in der Verfassung vorgesehen ist. Es ist auch gut begründbar, auch aus Gesichtspunkten, die sich nicht an aktuelle rechtliche Fragen binden. Der Vorteil für alle liegt darin, wenn wir Religion – konkret also unterschiedliche Religionen – in öffentlichem Raum halten, dann profitieren wir alle davon. Denn im öffentlichen Raum entsteht ein Integrationsdruck, so daß sich Religionen auch in unserer Gesellschaft integrieren; und die Religionen profitieren davon, daß sie in diesem öffentlichen Raum ihren Glauben der Kritik aussetzen müssen und Zeitgenossenschaft in ihren religiösen Aussagen erringen können. Daher können wir sagen: Das Modell des kirchengebundenen Religionsunterrichts ist ein Modell, von dem die gesamte Gesellschaft, also auch die Menschen, die konfessionslos sind und den Kirchen kritisch gegenüberstehen, profitiert. Allerdings ist es natürlich unbedingt erforderlich, daß die Alternative

Das Modell des kirchengebundenen Religionsunterrichts ist ein Modell, von dem die gesamte Gesellschaft, also auch die Menschen, die konfessionslos sind und den Kirchen kritisch gegenüberstehen, profitiert.

zum Religionsunterricht, also das Fach Ethik, für kirchlich nicht gebundene, konfessionslose Schüler wirklich ein gleichberechtigtes Wahlpflichtfach ist, das vom Makel eines Ersatzfaches befreit werden muß. Alles andere ist nicht zeitgemäß und diskreditiert die eigene Position. Die Nagelprobe, ob es beim Religionsunterricht nicht um Privilegien geht, sondern um wirklich begründbare Rechte von Religionsgemeinschaften, ist unsere größte religiöse Minderheit, der Islam. Die Frage ist, ob wir es wirklich schaffen, wenigstens eine einzige islamische Fakultät an unseren Universitäten zu gründen und – trotz aller praktischen Schwierigkeiten – muslimischen Schülerinnen und Schülern auch in ihrer Religion einen Unterricht an unseren staatlichen Schulen anzubieten. Das, so denke ich, ist der Ausweis dafür, wie modern der moderne Verfassungsstaat ist.

Otto Graf Lambsdorff

Frau Präsidentin,
Herr Bischof,

ich bin besonders gern in diesem Raum. Von den vier Plenarsälen des Deutschen Bundestages, die ich miterlebt habe, war dies hier der beste, in dem man am besten diskutieren konnte. Ich habe den 9. November 1989 erlebt, als die Mauer fiel und uns das hier bekanntgegeben wurde, und hier haben wir im übrigen auch die Verfassung noch einmal bestätigt. Dreimal hat der deutsche Verfassungsgesetzgeber das bestehende System, das Verhältnis zwischen Kirche und Staat in Deutschland, bestätigt. In der Weimarer Nationalversammlung, im Parlamentarischen Rat und hier in diesem Raum noch einmal im Jahre 1993. In meinen Augen ist diese Frage wirklich abschließend und vernünftig geklärt. Herr Bischof Lehmann hat das gesagt, und ich stimme dem zu. Herr Catenhusen hat recht. Wir brauchen keine Grundsatzdiskussion über Kirche und Staat. Wir haben eben nicht, Herr Kretschmann, den Zustand wie in Frankreich und in den Vereinigten Staaten, sondern wir haben genau 1919 und in der Folge dann fortgesetzt das beschlossen, was eine deutsche Eigenheit ist, was aber nicht Trennung von Kirche und Staat am Ende bedeutet. Es ist die Frage auch kurz gestellt worden, ob der Staat als Sinngeber auftreten kann. In dieser Frage, Herr Kretschmann, bin ich mit Ihnen wieder völlig einig, daß das nicht die Aufgabe des Staates ist. Mit Recht ist in der Einladung zu diesem Symposion Professor Böckenförde zitiert worden mit seinem berühmten Spruch: „Der freiheitliche säkularisierte Staat lebt von Voraussetzungen, die er selber nicht garantieren kann“. Das ist die Voraussetzung des liberalen Rechtsstaates, er kann sonst überhaupt nicht funktionieren. Wenn er sich an die Stelle dessen setzt, der Sinngebung veranstaltet, dann geht es schief. Wir haben eine solche Diskussion von Seiten der FDP mit den Kirchen bei der Erarbeitung unseres Programmes geführt. Die war sehr kontrovers. Die Kirchen haben den ersten Entwurf kritisiert. Was am Ende dabei herausgekommen ist, daraus lese ich Ihnen zwei Sätze vor: „Jeder hat das Recht, auf die Frage nach dem Sinn und den Werten des Lebens seine eigenen Antworten zu suchen. Er kann sie in den Kirchen, anderen Religionsgemeinschaften oder Weltanschauungsgemeinschaften finden. Grundlage der offenen Bürgergesellschaft ist darum die Freiheit des Gewissens, des Bekenntnisses und der Religion“. Der alte Glaube, Liberale seien für Trennung von Kirche und Staat, ist längst Geschichte des vorherigen Jahrhunderts und spielt akut keine Rolle mehr. Ich will einen dritten Punkt erwähnen, meine Damen und Herren: Ich bin in die FDP eingetreten auch im Kampf gegen die Bekenntnisschule 1951. Aber die ist nicht abgelöst worden durch die bekenntnisfreie Schule, sondern entsprechend dem Wunsch aller politischen Parteien durch die christliche Gemeinschaftsschule.

Der alte Glaube, Liberale seien für Trennung von Kirche und Staat, ist längst Geschichte des vorherigen Jahrhunderts und spielt akut keine Rolle mehr.

Die wollten wir haben, und die haben wir bekommen, und die ist auch notwendig, und die muß aufrechterhalten werden, und deswegen ist auch der Religionsunterricht aufrechtzuerhalten. Ich weiß jetzt nicht, Herr Kretschmann, wie weit Sie gehen wollen, wenn Sie sagen, da müsse man Differenz zulassen, bei sechsjährigen, zehn- oder zwölfjährigen Schülern. Und wenn man nicht Differenz zulasse, erwachse daraus gleich Fundamentalismus. Das scheint mir eine zu weitgehende Folgerung zu sein. Aber anstelle des Religionsunterrichtes LER? Soll man eigentlich christlichen Eltern zumuten, daß ihre Kinder von glaubensfeindlichen oder glaubensablehnenden Lehrern unterrichtet werden? Das kann ja wohl nicht sein. Der säkulare Staat darf nicht der säkularisierende Staat werden, das ist nicht die Aufgabe des Staates. Und am Ende eine Frage an die katholische Kirche: Ich bin dafür, daß der Religionsunterricht offen ist für jeden, der daran teilnehmen will, auch wenn er nicht, wie in meinem Fall, der evangelischen Religion angehört. Wie hält das die katholische Kirche? Die offene Gesellschaft fordert in meinen Augen, daß der Zugang zum Religionsunterricht für alle ermöglicht wird; natürlich nicht die Pflicht – das ist völlig klar –, aber der Zugang. Aber im übrigen gilt: Wenn der Staat sich anmaßt, Sinngebung zu betreiben, wenn der Staat hier regulieren will, für diesen Fall lassen Sie mich zum Abschluß Martin Luther zitieren: „Wo wirkliche Gewalt sich

Soll man eigentlich christlichen Eltern zumuten, daß ihre Kinder von glaubensfeindlichen oder glaubensablehnenden Lehrern unterrichtet werden?

anmaßt, der Seele Gesetze zu geben, da greift sie Gott in sein Regiment und verführt und verdirbt nur die Seelen.“

Lassen Sie mich einige Bemerkungen zu unserem Thema machen. Unser Staat ist weltanschaulich neutral. Er hat darauf verzichtet, eine staatliche verordnete Werteerziehung einzuführen. Aber, meine Damen und Herren, dieser Verzicht bedingt die Anerkennung der Notwendigkeit religiöser Bindungen und auch religiöser Bildung. Ich glaube nicht, daß man eine offene Gesellschaft ohne Religionsunterricht gestalten kann. Ich glaube, daß Religionsunterricht eine – und das ist jetzt ganz bewußt aus der Sicht des Staates argumentiert – gesellschaftspolitisch wichtige erzieherische Funktion hat, die deshalb auch in der Bundesrepublik Deutschland verfassungsrechtlich garantiert ist und bleiben muß. Graf Lambsdorff hat gerade mit Recht darauf hingewiesen, daß die Bundesrepublik Deutschland kein laizistischer Staat ist und deshalb Glaube und Religion auch nicht aus dem öffentlichen Leben in Deutschland zurückgedrängt werden dürfen. Wer dies versucht, stellt mehr in Frage als kirchliche Organisationen und Religionsunterricht. Ich glaube sogar, daß der Religionsunterricht an öffentlichen Schulen letztlich die Glaubens-, Gewissens- und Bekenntnisfreiheit der Schüler erst sichert. Und weil der Religionsunterricht nach meinem Verständnis notwendiger Bestandteil des Erziehungspro-

Ich glaube sogar, daß der Religionsunterricht an öffentlichen Schulen letztlich die Glaubens-, Gewissens- und Bekenntnisfreiheit der Schüler erst sichert.

zesses ist, kann nur mit Religionsunterricht auch eine umfassende Bildung und eine Entwicklung junger Menschen zu reifen Persönlichkeiten errreicht werden.

Der demokratische Staat – ich versuche jetzt, nachdem wir die Sichtweise der Kirche gehört haben, es aus dem Blickwinkel des Staates stärker zu betrachten – hat natürlich bei der in unserer Verfassung gewählten Aufgabenverteilung auch Erwartungen an den Religionsunterricht. Ich erwarte vom Religionsunterricht, daß er für ein gedeihliches Zusammenleben in unserer Gesellschaft unabdingbare Normen vermittelt, und das sind die Normen – und insofern ist der Hinweis auf Böckenförde richtig –, die die Existenzbedingung unserer freiheitlichen Ordnung, unseres freiheitlichen Staates und auch unserer sozialen Wirtschaftsordnung sind. Das ist besonders wichtig, weil – Bischof Lehmann hat ja darauf hingewiesen – hier eine allgemeine gesellschaftliche Orientierungskrise festzustellen ist, über deren Gründe natürlich diskutiert werden muß und auch heute hier wahrscheinlich noch diskutiert wird, und weil wir einen Verlust traditioneller Bindung und eine Schwäche traditioneller Institutionen haben. Gerade deshalb glaube ich, hat der Religionsunterricht jetzt und

Ich kann mir nicht vorstellen, daß eine Übersicht über einen Markt religiöser Möglichkeiten oder so etwas wie eine vergleichende Religionslehre ausreicht, um jungen Menschen die Fähigkeit zur eigenen Standpunktbildung zu vermitteln.

heute eine besondere Bedeutung; und ich sage auch dazu: LER ist kein Ersatz dafür. Ich kann mir nicht vorstellen, daß eine Übersicht über einen Markt religiöser Möglichkeiten oder so etwas wie eine vergleichende Religionslehre ausreicht, um jungen Menschen die Fähigkeit zur eigenen Standpunktbildung zu vermitteln. Und weil dies so ist, muß meiner Meinung nach diese Frage ausgetragen werden. Sie muß geklärt werden, sie darf auf keinen Fall einer schleichenden Erosion überlassen werden. Und das sage ich aus der Sicht des Staates. Wenn der Staat sich ganz bewußt begrenzt, weil er das gar nicht alleine leisten kann, und wenn er sich beschränkt, dann muß er auf der anderen Seite von gesellschaftlichen Kräften auch erwarten, daß sie dazu beitragen, daß die Menschen auch immunisiert werden und daß sich eine Kultur entwickelt gegen politische Totalitätsansprüche. Und das ist aus der Sicht des Staates ein ganz wichtiger Punkt. Denn wir können hier im Parlament noch so viel diskutieren, wir können noch so viel schreiben, wir können noch so viel reden, wir werden es nicht alleine leisten können.

Ich glaube auf der anderen Seite auch, daß die im Religionsun-

Ich glaube auf der anderen Seite auch, daß die im Religionsunterricht zu vermittelnde christliche Botschaft von der Würde des Menschen, von der Freiheit des Denkens und des Gewissens und der persönlichen Verantwortung wesentliche Grundlagen nicht nur unseres Staates, sondern auch der Zukunft unseres Staates und unserer Gesellschaft ist und bleibt.

terricht zu vermittelnde christliche Botschaft von der Würde des Menschen, von der Freiheit des Denkens und des Gewissens und der persönlichen Verantwortung wesentliche Grundlagen nicht nur unseres Staates, sondern auch der Zukunft unseres Staates und unserer Gesellschaft ist und bleibt. Gerade in einer Zeit, in der sich so viel so schnell ändert und die Menschen so wenig Zeit haben, sich an die Veränderungen anzupassen. Damit sind wir natürlich bei einer der Kernfragen von Bildungspolitik überhaupt, von der Bedeutung der Bildungspolitik in dieser Gesellschaft, die nach meiner Ansicht steigen muß, weil wir mehr Fähigkeiten brauchen, Veränderungsprozesse zu bewältigen. Dies muß bei jungen Menschen beginnen, und dies kann natürlich auch nur vor dem Hintergrund von Werten geschehen und nicht einfach mit der Vermittlung von irgendwelchem Wissen.

Wir stehen vor der Wissensgesellschaft: Das Wissen der Menschen verdoppelt sich alle 5–7 Jahre. Eine Bildungspolitik, die glaubt, nur auf Wissensvermittlung zu setzen und dem einzelnen dann die Fähigkeit zu entscheiden gleichsam überträgt, wird scheitern. Sie wird gerade in der Zukunft scheitern, weil ein Bildungsystem, eine Schule, eine Gesellschaft, die versucht, sich nur auf Wissen abzustützen, selbst dem einzelnen Menschen nicht mehr die Fähigkeit vermittelt zu entscheiden, was notwendiges Wissen und was Informationsmüll ist. Sehen Sie nur mal ins Internet: Da ist 90% Müll. Dabei ist es trotzdem ein ganz wichtiges System, aber das Problem ist, die 10% zu finden, indem man sie auswählt. Über solche Schlüsselqualifikationen, über die Fähigkeit zu entscheiden, übrigens dann auch zwischen Gut und Böse zu entscheiden und daraus für sich selbst die Schlüsse zu ziehen, dies muß man lernen. Jetzt sage ich noch dazu – Herr Bischof Lehmann hat das angesprochen –, daß es gut ist, wenn es viele andere gibt, auch viele andere Institutionen, die sich an diesem Lernprozeß und an diesen Reifeprozessen und an diesem Wachstumsprozeß beteiligen. Wenn meine Wahrnehmung richtig ist, dann sind allerdings leider viele Institutionen inzwischen dazu übergegangen, daß sie das, was sie selber nicht mehr leisten können und vielerorts auch nicht mehr leisten wollen, den Schulen zur Lösung übertragen. Damit überfordern sie die Schulen. Wenn das richtig ist, dann muß natürlich der Kampf um Inhalte, um das Unterscheiden und das Einsortieren und das Werten wieder aufgenommen werden. Und es muß in den Schulen Zeiten und Räume geben, wo er stattfinden kann, und das ist im Religionsunterricht. Daher darf der Religionsunterricht nicht abgebaut werden, denn, das ist ja nun evident, das wäre dann der erste Schritt in die falsche Richtung.

Der Professor ist für das Grundsätzliche zuständig. Deshalb will ich nochmals grundsätzlich einsetzen. Es gibt drei Möglichkeiten, das Thema Religion in der Schule zu behandeln.

Erstens: Religionskunde – d.h. die wichtigsten Religionen der Erde werden bekannt gemacht. Die Bezugswissenschaft ist Religionswissenschaft. Weder Lehrer noch Schüler müssen dabei religiös engagiert sein, aber können natürlich. Religionskundliche Elemente gehören in jeden vernünftigen Lehrplan, mindestens in den Geschichtsunterricht. Sie gehören auch in jeden vernünftigen Religionsunterricht, nämlich das Bekanntmachen mit der anderen Religion, mit den Religionen anderer. Aber ist Religionskunde die bestmögliche Form, Religion an der Schule zu präsentieren? Sie scheint zwar am besten einer pluralistischen, manche sagen auch multikulturellen Gesellschaft zu entsprechen, aber eine bekenntnisneutrale Religionskunde, vorgetragen von religiös nicht interessierten Lehrern, wird schwerlich eine Begegnung mit Religion vermitteln, sondern eher einem Zoobesuch gleichen, bei dem Merkwürdigkeiten besichtigt werden. Und es besteht

Eine bekenntnisneutrale Religionskunde, vorgetragen von religiös nicht interessierten Lehrern, wird schwerlich eine Begegnung mit Religion vermitteln, sondern eher einem Zoobesuch gleichen, bei dem Merkwürdigkeiten besichtigt werden.

die Gefahr, daß hier ein überheblicher Standpunkt über den Standpunkten beansprucht wird, für den alle Religionen gleich sind, also auch gleich egal. Das aber tilgt das Problem der Toleranz. Toleranz, das heißt bekanntlich ertragen. Ich brauche die Andersartigkeit des Anderen nicht mehr zu ertragen, wenn alle Religionen gleich egal sind. Eine multikulturelle Persönlichkeit übrigens hätte fatale Ähnlichkeit mit einer multiplen Persönlichkeit.

Zweitens: Christenlehre oder Glaubensunterricht – d.h. Christen führen Christen in den christlichen Glauben und in religiöse Praxis ein, bzw. Moslems führen Moslems ein, bzw. Juden Juden usw. Bezugswissenschaft ist die jeweilige Theologie. Dieser Unterricht wäre bekenntnisgebunden für Lehrer und Schüler und auf die jeweilige Religionsgemeinschaft direkt bezogen. Dazu meine ich: Glaubensunterricht ist nur an Konfessionsschulen gerechtfertigt. Wenn die evangelische Kirche eine Schule gründet, kann sie solchen Unterricht dort geben, denn wer da hingeht, weiß, was kommt.

Drittens: Religionsunterricht, wie ich ihn gut finde, ist aber ein Religionsunterricht, welcher bekenntnisgebunden ist hinsichtlich der Lehrer und bekenntnisfrei hinsichtlich der Schüler. Jeder kann teilnehmen, niemand muß. Er ist ein Pflicht-

Religionsunterricht, wie ich ihn gut finde, ist aber ein Religionsunterricht, welcher bekenntnisgebunden ist hinsichtlich der Lehrer und bekenntnisfrei hinsichtlich der Schüler. Jeder kann teilnehmen, niemand muß. Er ist ein Pflichtfach.

fach von seiten der Schule, aber Wahlfach von seiten der Schüler bzw. Eltern, und deswegen kann er Wahlpflichtfach genannt werden. Parallel zum Religionsunterricht gibt es eine Alternative, die unter verschiedenen Namen gehandelt wird. Bezugswissenschaft ist dann ebenfalls die Theologie. Dieser Unterricht würde eine konkrete Begegnung mit einer konkreten Religion oder Konfession vermitteln. Der Lehrer ist nicht nur Informant, sondern muß sich auch als Testfall zur Verfügung halten, dem die Schüler auf den Zahn fühlen können: „Wie hältst du es mit *deiner* Religion?“ Das ist die einzig fruchtbare Art, sich auch kritisch mit Religion auseinanderzusetzen. Manche sagen ja: Ich bin kein Christ mehr, aber ich weiß warum, denn ich war im Religionsunterricht. Das ist auch ein möglicher Erfolg von Religionsunterricht. Dieser Religionsunterricht entspricht übrigens dem Verständnis der Trennung von Staat und Kirche, bei dem der weltanschaulich neutrale Staat mit den Religionsgemeinschaften kooperiert.

Ich möchte gerne Religionen und weltanschauliche Grundwertorientierungen mit den Sprachen vergleichen. Es gibt viele Sprachen, aber nicht *die* Sprache, jedenfalls kann man sich in ihr nicht verständigen, und man kann sie auch nicht sprechen. Jeder Mensch lernt zunächst eine Sprache, seine Muttersprache. Manche haben zwei, das gibt es auch. Man kann eine Fremdsprache lernen, man kann auch die Muttersprache wechseln, aber nicht allzuoft im Leben, und nur, wenn man bereits eine Muttersprache gelernt hat. Der Religionsunterricht sollte sein wie muttersprachlicher Unterricht in einer der Religionen bzw. der Weltanschauungen unseres Kulturkreises. Wir haben es ja bekanntlich mit einem begrenzten und nicht mit einem unbegrenzten Pluralismus zu tun: Christentum, Judentum, humanistische Positionen verschiedener Orientierung und durch Zuwanderung der Islam. Es gibt allerdings verwandte Sprachen, deren Angehörige nicht viel lernen müssen, um sich zu verständigen. Polen und Tschechen z.B. So ähnlich dürfte es wohl in dem Verhältnis der Konfessionen sein.

Ich finde, daß in der Praxis der alten Bundesländer drei Probleme zugewachsen sind, die bisher ungelöst sind. Und wir dürfen hier nicht so viel Einmütigkeit verbreiten, als gäbe es das nicht. Ich zähle dazu:

a) Es gibt keinen erprobten Studiengang des Alternativfachs. Konzeptionelle Fragen sind noch ungeklärt, darunter auch die, ob zu den Bezugswissenschaften auch die Theologie gehören sollte.
b) Religionsunterricht und das Alternativfach laufen unabgestimmt und ohne Kooperation nebeneinander.
c) Das Alternativfach ist als nachgeordnete Alternative verstanden, also nicht freie Wahl, sondern: Wer sich vom Religionsunterricht abmeldet, muß das Alternativfach besuchen.

Das Brandenburger LER-Modell (ursprünglich: Lebensgestaltung-Ethik-Religion) war anfangs gedacht als ein Wahlpflichtbereich, d.h. Unterricht im Klassenverband (Integrationsphase) sollte abwechseln mit alternativen Angeboten (Differenzierungsphase, also alternativ Religionsunterricht – Ethik). Es sollte der Tatsache Rechnung tragen, daß Christen im Osten eine Minderheit sind, aber auch nichtchristliche Kinder etwas von der christlichen Tradition kennenlernen sollten. Aber diese Konzeption ist vor Beendigung des Versuchs aufgegeben worden zugunsten eines einheitlichen Pflichtfachs LER, wobei R nun für Religions*kunde* steht. Besucher eines konfessionellen Unterrichts können sich von LER befreien lassen. Religionsunterricht kann von den Kirchen in den Räumen der Schule angeboten werden.

Es gibt verfassungsrechtliche und pädagogische Einwände gegen LER, die man nachlesen kann. Ich möchte auf ein Problem in aller Schärfe hinweisen, obwohl ich dafür Prügel beziehen werde: Wer wird LER unterrichten? Die Lehrerschaft in den östlichen Bundesländern ist das stabilste DDR-Milieu. Aufgrund der DDR-Auswahlkriterien sind unter den Lehrern Christen noch viel geringer vertreten als in der Gesamtbevölkerung (20–30%). Nach einer Verunsicherung 1989/90 sind viele Lehrer zu ihren antireligiösen und antikirchlichen Urteilen zurückgekehrt. LER bedeutet den Ausschluß der Religionslehrer aus dem Klassenzimmer.

Wer wird LER unterrichten? Die Lehrerschaft in den östlichen Bundesländern ist das stabilste DDR-Milieu.

Man kann nicht auf Toleranz im Klassenzimmer hinwirken und sich diese Mühen im Lehrerzimmer sparen. Ich danke Ihnen.

Es gibt, so glaube ich, keine ernsthafte Infragestellung des Religionsunterrichts, unabhängig davon, daß dieser verfassungsmäßig garantiert ist und was hier schon an weiteren Stichworten genannt worden ist. Ich glaube schon, daß unter dem Stichwort Religionsunterricht auch seine bildende Funktion über die historischen Notwendigkeiten eine Rolle spielen wird, die Erklärung unserer Gesellschaft hier und heute. Der kulturelle Zusammenhang ist überhaupt nicht verstehbar ohne seine christlichen Wurzeln unter Einschluß Osteuropas, was häufig vergessen wird in unseren lateinisch geprägten Landen. Und damit wird das dann auch alles viel komplizierter und auch viel interessanter. Das gleiche gilt aber auch hinsichtlich der Anwesenheit anderer Weltreligionen nicht nur in unseren Medien und in der öffentlichen Wahrnehmung, sondern auch konkret in den Schulen. Dadurch, daß wir muslimische und inzwischen ja durch Einwanderung auch wachsende Zahlen von jüdischen Kindern haben, wird es notwendig, daß auch christliche Kinder sich dessen bewußt werden, woher sie eigentlich kommen und was sie sind. Ein bewußter muslimischer Nachbar auf der Schulbank fordert eine ganze andere Debatte als nur die Kenntnis der Religion. Er fordert auch gleichzeitig die Antwort auf die Frage heraus, warum das eigentlich so ist und ob ich das

Ein bewußter muslimischer Nachbar auf der Schulbank fordert eine ganze andere Debatte als nur die Kenntnis der Religion.

eigentlich brauche. Diese Debatten sind schon in den Schulen vorhanden, und da hat der Religionsunterricht unter Umständen eine viel wichtigere Funktion, als das bisher öffentlich wahrgenommen wird. Damit zusammen hängt die Toleranzvorstellung, die wir oft diskutieren. Tolerant kann nur jemand sein, der selber einen Standpunkt hat. Jemand, der keinen Standpunkt hat, kann auch nicht tolerant gegenüber anderen sein und kann auch anderes nicht ertragen; nicht nur aus dem Argument von Herrn Schröder, weil eben das andere gleichgültig ist, sondern auch, weil er selber nichts einzubringen hat. Und das finde ich noch viel schlimmer als alles andere.

Daß wir eine verstärkte Aufmerksamkeit der Religionsfrage und der Wertfrage zuwenden, hängt natürlich auch zusammen mit dem Zusammenbruch eines weltanschaulichen, totalitären Systems Marxismus – Leninismus, das die Welt glaubte erklärt zu haben. Und der Totalzusammenbruch einer solchen Welt mit dem gesamten System der ideologischen und weltanschaulichen Fragen bringt es natürlich mit sich, daß dann die Frage ansteht, was denn nun eigentlich gelten solle. Ich habe in den ersten Monaten nach der Wende mehrfach Lehrerinnen und Lehrer aus der DDR getroffen und dann in den neuen Ländern, die sagten: Na ja, wir haben ja bis jetzt das falsche Weltbild gehabt, werden wir jetzt das richtige bekommen?

Genau dies ist schon die falsche Frage, weil es nämlich die alte Frage ist. Die neue Frage ist jedoch: Wer bin ich eigentlich? Und wo will ich hin? Insofern ist die Anwesenheit von Menschen, von authentischen Vertretern der Religion, die mit der religiösen Fragestellung, auch mit dem eigenen Selbst und den eigenen Unsicherheiten umgehen können, ein wichtiger Punkt, denn dann kann hier sprachlich, auch vorstellungsmäßig, von der Existenz her argumentiert werden. Ich möchte nur darauf hinweisen, daß die neue New Age-Bewegung, die Sekten, die Esoterik und dergleichen im bestimmten Alter auch eine Menge an Unsicherheiten hereintragen, die man nicht einfach nur mit dem Hinweis darauf, daß es Unsinn sei, aus den Köpfen der Kinder herausbekommt, sondern nur damit, daß man andere Positionen einnehmen kann und zwar auch glaubwürdig einnehmen kann als Person. Und da, glaube ich, hat die christliche Religion, gerade weil sie fast 2000 Jahre lang im engen Kontakt mit philosophischer Begrifflichkeit einen stärkeren rationalen Zugang hat als vielleicht manches Religiöse, was wir sonst haben, eine ganz, ganz wichtige rationale Argumentationsfunktion, die ich, wie ich zugeben muß, in den ersten Jahren der Debatte so gar nicht wahrgenommen habe, die ich aber für ganz wichtig halte. Abendländische Philosophie ist auch die Auseinandersetzung mit Religion, und das schärft nicht nur die philosophischen Gedanken, sondern auch die religiösen und theologischen Gedanken. Und deswegen ist es eine ganz wichtige, auch didaktisch wichtige Frage, die vielleicht noch schärfer herausgearbeitet werden muß. Und als letztes: Religiöse Fragestellungen sind für mich immer verbunden mit existentiellen Erfahrungen. Junge Menschen sind viel stärker, als man das wahrnimmt – das sieht man z.B. auch an der schönen Schrift von Jostein Gaarder ‚Sophies Welt' –, an Fragen nach Anfang und Ende interessiert. An Fragen danach: Wie ist es denn eigentlich, wenn ein Verwandter stirbt? Wie ist es denn eigentlich, wenn ein Gleichaltriger stirbt, zum Beispiel bei einem Verkehrsunfall? Das sind existentiell in die Jugendlichen eingreifende Fragen. In der Schule als einem gesellschaftlichen Ort muß Raum sein, wo diese Fragen diskutiert werden können. Und dieser Ort ist dann nicht der Physik- oder Mathematikunterricht oder allenfalls irgendeine Deutschstunde, sondern der Religionsunterricht. Im übrigen sind das auch Fragen, die in der Berufsschule eine Rolle spielen. Über die letzten Fragen, die Menschen haben, müssen sie reden können, im übrigen auch Menschen, die keinen Glauben haben. Es gibt also eine Menge von Perspektiven im Religionsunterricht, die ich hier nur stichwortartig aufgezählt habe. Ich könnte noch eine Menge Gründe aufführen, die es sinnvoll erscheinen lassen, einen aufgeklärten, aber bewußten Religionsunterricht zu haben und auch durchzuführen. Ein Grund ist – und da möchte ich Herrn Kollegen Rüttgers ausdrücklich recht geben –, daß wir die Menschen in der zukünftigen Welt

Über die letzten Fragen, die Menschen haben, müssen sie reden können, im übrigen auch Menschen, die keinen Glauben haben.

nicht einem pausenlosen Beschleunigungsrhythmus aussetzen können. Wir können von ihnen nicht verlangen, daß sie heute lernen und morgen vergessen, wenn sie nicht gleichzeitig irgendwo eine Mitte haben, aus der heraus sie das überhaupt aushalten können. Das gilt für Intellektuelle genauso wie für Arbeiter, für Jugendliche und für andere. Wenn man sich nur dem Beschleunigungstakt moderner Ökonomie anheimgibt, dann hat man den Menschen verloren. Und Ökonomie ist immer auch dafür da, damit sie dem Menschen dienen kann. Von daher ist das eine Angelegenheit, die weit über den Religionsunterricht hinausgeht, über unser Lernverständnis, Lernverhalten und über das, wie wir unsere Gesellschaft definieren wollen, und hat dennoch praktische Auswirkungen. Wir haben ja alle nur beschränkte Zeit. In Niedersachsen, dem Land, aus dem ich nähere Kenntnis habe, sind wir durch das Konkordat, durch das Gespräch mit der katholischen Kirche und durch den Loccumer Vertrag mit den evangelischen Kirchen in sehr enger Kooperation. Wir versuchen, die gemeinsamen Fragen des Religionsunterrichts nach der praktischen Durchführung, nach der Lehrereinstellung und dergleichen nach Möglichkeit einvernehmlich zu regeln; und ich bin sehr froh darüber, daß in

manchen Diasporagebieten, sei es für die evangelischen, sei es für die katholischen, auch der Gedanke des ökumenischen kooperativen Religionsunterrichtes Eingang finden kann. Als Vertreter des Staates kommt mir das natürlich auch sehr entgegen im Hinblick auf den Religionslehrereinsatz. Auf der anderen Seite ist aber auch eine aus dem Religionsunterricht selber herkommende Frage: Es ist ja besser, daß jemand einem aufgeschlossenen, ökumenische Aspekte enthaltenden Religionsunterricht der anderen Konfession beiwohnt, als wenn er überhaupt keinen Religionsunterricht hat. Wir haben in Niedersachsen im Sekundarbereich I und II die Alternative, daß, wer nicht am Religionsunterricht teilnehmen muß bzw. sich abmeldet, „Werte und Normen“ nehmen muß. Da gibt es Schwierigkeiten in der Lehrerausbildung etc., wie Herr Schröder schon kurz erwähnt hat. Aber was auch auf der Bundesebene interessant ist, ist folgendes: Es gibt einen Vater in Niedersachsen, der keiner Kirche angehört. Er hat beim Verwaltungsgericht Hannover geklagt, daß sein Sohn in der Schule gezwungen würde, „Werte und Normen“ zu nehmen, und er empfindet dies als diskriminierend. „Werte und Normen“ ist im wesentlichen Ethikunterricht, aber mit religionskundlichen Aspekten, die gesichert sind im Lehrplan. Er möchte, daß entweder alle am Unterricht in „Werte und Normen“ teilnehmen müssen oder daß sein Sohn befreit werde. Das Verwaltungsgericht Hannover hat gesagt, für eine Entscheidung reiche jetzt die Zeit nicht aus, und hat einen Vorlagebeschluß beim Bundesverfassungsgericht gemacht. Es könnte also sein, und deswegen ist der Fall bundesweit von Belang, daß im Zusammenhang mit dem LER-Urteil auch darüber noch etwas gesagt wird. Dann geraten wir unter Umständen in neue Konstruktionsdebatten. Da wäre dann aber ein zweite Versammlung notwendig. Vielen Dank.

Diskussion mit Publikumsbeteiligung

Hans Heiner Boelte

Jetzt darf ich die Präsidentin bitten, ihren Eindruck zusammenzufassen. Während draußen eher kontroverse Debatten geführt werden, stellt sich hier die Frage, wo denn noch das Kontroverse liegt. Ich habe doch einiges entdeckt.

Rita Süssmuth

Ich stelle fest, daß wir in Zustimmung zur Verfassung und in deren Auslegung keinen Dissens haben. Unser Problem liegt weit mehr darin, wie die Verfassung in der alltäglichen Praxis gelebt werden kann. Wenn ich den Beitrag von Graf Lambsdorff aufnehme, dann sind wir nicht nur ein säkularer Staat in der Trennung von Staat und Religion, sondern mehr noch ein säkularisierter Staat, in dem der Glaube an Gott schwindet und die Bewahrung des Religiösen zu einem wichtigen Aufgabengebiet wird. Was die Kollegen aus den östlichen Bundesländern berichten, ist zunehmend auch ein Problem in den westlichen Bundesländern. Wir haben inzwischen in bezug auf unsere eigenen Her-

Wir haben inzwischen in bezug auf unsere eigenen Herkunftsbestände ein erhebliches kulturelles Defizit. Dabei können wir jedoch weder unsere Verfassung noch unsere Wertgrundlagen ohne Christentum nachvollziehen.

kunftsbestände ein erhebliches kulturelles Defizit. Dabei können wir jedoch weder unsere Verfassung noch unsere Wertgrundlagen ohne Christentum nachvollziehen. Wem diese Dimension fehlt, der hat erhebliche Schwierigkeiten im Verständnis unserer normativen Grundlagen. Faktisch konfrontieren wir auch die Individuen in unserer Gesellschaft mit sehr widersprüchlichen Erwartungen: Auf der einen Seite betonen wir hier, wie lebenswichtig Glaube und Religion ist, von welcher großen existentiellen Bedeutung die Zugehörigkeit zu einer Konfession ist und damit die Möglichkeit, in einer Konfession Erfahrungen zu machen und Überzeugung zu gewinnen. Auf der anderen Seite handeln wir so, als ob Religion und Glaube unwichtig, ja marginal wären. Ich nenne Ihnen dazu ein ganz praktisches Beispiel: Das erste, womit man in der Berufsschule Zeit sparen kann, ist die Streichung der einen Wochenstunde Religionsunterricht. Andere Schulfächer wie Deutsch oder Mathematik werden als substantiell angesehen, aber offenbar ist der Religionsunterricht nicht von entscheidendem Belang für das Leben der Menschen. Wir haben es momentan mit einer fast modischen Betonung ökonomischer Verwertbarkeit zu tun. Demgegenüber müssen wir uns fragen, ob denn auf der Prioritätenskala – was ist für uns das Lebenswichtigste für den Menschen – das Wirtschaftliche vorrangig sein soll oder eher eine nachgeordnete Wichtigkeit besitzt. Es liegt an uns, ob wir unsere Gesellschaft danach ausrichten, daß ökonomische Effizienz, Produktion und Konsum erstes Kriterium unserer Lebensführung sind oder ob wir die ganzheitliche Förderung des Menschen in den Mittelpunkt stellen. Wenn wir uns am Humanum des Menschen selbst orientieren wollen, zu dem das Religiöse mit gehört, heißt das: Wir – ob nun Schulen, ob Kirchen, ob Staat und Politik – müßten diese Wertigkeit viel stärker nicht nur in Reden, sondern in konkreten Taten wieder in das öffentliche Bewußtsein heben. Es reicht einfach nicht aus, wenn wir den Religionsunterricht als Fach an den Schulen verankert haben. Das ist nur eine, allerdings notwendige, Rahmenbedingung.

Ich habe bewußt den Berufsschulbereich als Beispiel genommen, denn die berufliche Erstausbildung ist eine ganz wichtige Phase für junge Menschen, in der sie nicht weniger suchend sind als mit 14 oder 15 Jahren. Religionsunterricht als Orientierungsangebot ist deswegen sehr notwendig. Es gibt aber noch einem zweiten Grund. Wir haben erhebliche Probleme mit Verständigung und Offenheit im religiösen Bereich, gerade auch mit anderen Religionsgemeinschaften. Den interreligiösen und interkulturellen Dialog, der damit verbunden ist, haben wir noch gar nicht richtig begonnen. Fragen Sie doch mal in unseren Schulen nach, wieviele junge Menschen eine Ahnung haben, sei es von dem jüdischen Glauben oder vom islamischen Glauben, was sie vom Koran wissen? Was sie meist wissen, ist das: Es ist etwas ganz Gefährliches. Das zeigt, wie wenig hier Zugänge zu diesen Religionen bestehen.

Hier haben mehrere Offenheit und Öffnung gefordert. Ich bin sehr dafür. Doch Voraussetzung dafür ist, daß man selbst einen Standpunkt gewonnen hat, von dem aus man urteilen und Toleranz wie Offenheit praktizieren, aber auch Neugier für Fremdes entwickeln, anderes entdecken kann. Wir brauchen Information und Orientierungshilfe, nicht vorschnelle Abwertung. Und ein drittes möchte ich hinzufügen. Es ist klar, daß die Menschen, und gerade auch Jugendliche, Zugänge brauchen zu Angeboten der Sinn- und Wertorientierung. Zugleich aber kommen wir heute immer weniger klar mit den religiösen Einrichtungen. Glauben wird jedoch lebendig in den konkreten, gelebten Gemeinschaften. Wir kommen ohne Institutionen nicht aus. Zu glauben, daß wir nur mit einem individualisierten Glauben ohne Mitmenschen, ohne Gemeinschaft und damit auch ohne institutionelle Einrichtungen auskommen, das halte ich für einen Trugschluß. Auch die Funktion von Institutionen müssen wir näher klären. Denn wenn wir diese Frage außen vor lassen, dann machen wir auch den jungen Menschen etwas vor. Gerade dann, wenn ich selbst ein Suchender bin, brauche ich diejenigen, die aus der verwurzelten Gemeinschaftlichkeit heraus mit mir zweifeln, die mit mir hoffen, die mit mir glauben. Einrichtungen sind wichtig, weil sie auf diese Weise Identität stiften. Daher ist mir nicht geholfen, wenn ich sage: Religionsunterricht ja, aber hübsch getrennt von der Kirche. Das wird nie funktionieren, wie ja auch heute abend schon deutlich wurde.

Gerade dann, wenn ich selbst ein Suchender bin, brauche ich diejenigen, die aus der verwurzelten Gemeinschaftlichkeit heraus mit mir zweifeln, die mit mir hoffen, die mit mir glauben.

Und das letzte noch, das sage ich jetzt als Politikerin: Da hat die Ministerin Annette Schavan gesagt, daß der Glaube nicht funktionalisiert werden soll. Soziologisch denkend, weiß ich, wie leicht wir dieser Gefahr erliegen; denn natürlich haben wir auch Erwartungen an den Religionsunterricht: Er soll mithelfen, die Gesellschaft zu stabilisieren. Da ist die Gefahr einer Art Staatsreligion nicht von der Hand zu weisen. Doch wenn Religion der verlängerte Arm des Staates wird, dann kann ich nur sagen: Wehe den religiös Erzogenen, die nicht so funktionieren, wie es der Staat eigentlich erwartet. Gerade weil wir das nicht wollen und die verschiedenen Glaubensgemeinschaften zu akzeptieren haben, ist es wichtig, Konflikte anzuerkennen, Spannungen auszuhalten und so etwas wie eine Kultur des Umgangs miteinander zu lernen. Auch da stehen wir noch am Anfang.

Hans Heiner Boelte

Bischof Lehmann, ich möchte Sie wenigstens fragen, ob Sie auch noch einen Gesamteindruck wiedergeben wollen, sonst möchte ich das Plenum öffnen. Mein Eindruck war, daß zumindest zwei Anfragen so sind, daß Sie sich konkreter äußern müßten als getan. Die eine Frage war von Herrn Catenhusen: Wie steht's mit der Erziehung von Kindern aus konfessionsverschiedenen Ehen? Und die andere Anfrage von Graf Lambsdorff zum Beispiel der christlichen Gemeinschaftschule.

Zunächst einmal: Manchmal bin ich etwas erschrokken, weil ich das Gefühl habe, die Ehre, die dem Religionsunterricht angetan wird, steht manchmal in der Nähe einer Überforderung: eine Überlastung mit Funktionen, mit denen der Religionsunterricht bestimmt etwas zu tun hat; aber er kann sie nicht alle in gleicher Weise erfüllen. Es entsteht das Gefühl, daß die Gesellschaft einer solchen Einrichtung den „Schwarzen Peter" übergibt, und das wäre der Tod des Religionsunterrichtes. Aber das ist ein weites Feld: es ist auch sehr gut berührt worden von Professor Schröder. Das Verhältnis von Religionsunterricht zu Ethik muß noch mehr ausgeleuchtet werden.

Ich bin froh, daß die Frage mit der Berufsschule angesprochen worden ist. In den Diskussionen, die ich als Bischof mit Vertretern aus der Arbeitswelt habe, entdecke ich oft ein grundlegendes Unverständnis für den Religionsunterricht. In einem der beiden Bundesländer, wo ich meine Verantwortung ausübe, fällt über 50% des Religionsunterrichts an Berufsschulen aus. Wir kämpfen seit Jahren dagegen. In anderen Bundesländern wird es nicht sehr viel besser sein.

Dieser hohe Ausfall des Religionsunterrichts an Berufsschulen ist ein unerträgliches Defizit, es ist eine Benachteiligung des allergrößten Teils der jungen Menschen, denn etwa 70% von ihnen gehen durch die Berufsschule. Da hoffe ich, daß Anstöße von diesem Symposion ausgehen, um diesen unerträglichen Zustand zu beheben.

Ich komme zu den beiden Punkten, bei denen ich noch um Präzisierung gebeten worden bin. Was wir Bischöfe dazu sagen, habe ich zu einem guten Teil aus unserem Wort „Die bildende Kraft des Religionsunterrichtes" mit Angabe der Seitenzahl zitiert. Die brauche ich nicht zu wiederholen. Ich habe deutlich gemacht, daß der jetzige Erkenntnisstand in der Ökumene auch einen gewissen Gleichschritt in der Praxis des Religionsunterrichtes impliziert. Es gibt aber auch bedenkliche Tendenzen. Daß man das eine oder andere ausprobiert, ist nicht das Problem. Wenn das geordnet und vereinbart ist, ausgewertet und evaluiert wird, dann bin ich dafür zu haben. Aber wenn jede Schulkonferenz glaubt, sie kann bestimmen, welche Themen behandelt werden – und es gibt Schulgesetze, die in diese Richtung tendieren –, wenn die Willkür einzelner Schulleiter dies alles durchlöchert, dann ist das kein Weg, und dann muß ich mich dagegen auch wehren. Insofern ist ein gezieltes, begrenztes Experiment als Vorstufe für weitere gemeinsame Schritte indispensabel. Ich glaube, daß eine neue

Ich glaube, daß eine neue Diskussion fällig ist über die sogenannte Trias, also die Homogenität von Lehrer, Schüler, Lehrinhalt.

Diskussion fällig ist über die sogenannte Trias, also die Homogenität von Lehrer, Schüler, Lehrinhalt. Mit Blick auf die Identität des Schülers bzw. der Schülerin laufen wir im Augenblick evangelisch und katholisch etwas auseinander. Dies würde im Detail jetzt zu weit führen. In concreto glaube ich, daß wir nicht so weit auseinander sind, wie es scheint, wenn ich jedenfalls die beiden Dokumente über den Religionsunterricht genauer vergleiche. Bei uns ist vielleicht eine ängstlich klingende Reserve mit im Spiel, aber man muß auch die einmal positiv bedenken. Wie weit kann man einen universalen Zugang gewährleisten für alle und für jeden? Dadurch verändert sich auch der Unterricht. Wie weit kann man den Zugang ausweiten, ohne dem Fach auch die Identität zu nehmen? Ich glaube, das ist eine ernste Frage auch in der Praxis. Aber die soll nicht verhindern, daß man hier weiterdenkt.

Und ein Letztes: wir haben ja jetzt schon viele Regelungen, die eine sehr enge Kooperation erlauben. In Rheinland-Pfalz haben wir, durch das Bundesverfassungsgericht erhärtet, in der Sekundarstufe II die Möglichkeit, daß katholische Schüler, ohne sich um- oder abmelden zu müssen, von sechs Leistungskursen zwei im evangelischen Religionsunterricht machen können bzw. umgekehrt. Es gibt weiter darüber hinausgehende Vereinbarungen. Man kann das nachlesen im Buch von W. Rees (Der Religionsunterricht und die katechetische Unterweisung in der kirchlichen und staatlichen Rechtsordnung, Regensburg 1986; H.D. Diekmann, Religion und Konfession. Zur Konfessionalität des katholischen Religionsunterrichts, Hildesheim 1994), wieviele Vereinbarungen es derzeit schon gibt. Deswegen ist da auch schon offiziell mehr realisierbar, als es vielleicht den Anschein hat. Aber dann hätte ich noch viel mehr in die Einzelheiten gehen müssen.

Zur Frage nach den Kindern aus konfessionsverschiedenen Ehen: Für mich ist das ein Ansporn, Herr Catenhusen, in der ökumenischen Arbeit eben noch mehr zu leisten, was wir ja im Augenblick über die Rechtfertigungsbotschaft und die gemeinsame Erklärung darüber versuchen. Das ist nicht so erfreulich im Moment. Es gibt Rückschläge in der Ökumene, das darf uns nicht entmutigen. Ich treibe jedenfalls von meiner Warte aus ökumenische Theologie trotz Rückschlägen und trotz Enttäuschungen, hauptsächlich wegen der Menschen in konfessionsverschiedenen und konfessionsverbindenden Ehen. Sonst könnte ich mir manchmal etwas anderes aussuchen, womit ich mich gerne beschäftige, auch wissenschaftlich gesehen. Aber dies ist nicht erlaubt, gerade um der Menschen willen, die in solchen Situationen leben und die unter den Spannungen zu leiden haben, für die sie überhaupt nicht die geringste Verantwortung tragen. Ich denke, das ist der Motor auch in dieser Sache.

Hans Heiner Boelte

Ich möchte nun die allgemeine Diskussion eröffnen. Wer möchte kommentieren, Fragen stellen?

Mein Name ist *Christoph Scheilke* vom Comenius-Institut in Münster. Ich würde gerne, nachdem die Evangelische und Katholische Kirche solche schönen gemeinsamen Erklärungen zur wirtschaftlichen und sozialen Frage sowie zur Asyl- und Flüchtlingsfrage vorgelegt haben, fragen, ob Sie, Herr Bischof Lehmann, die Experimente oder die Probierstuben und Modellentwicklungen im Religionsunterricht, auch im ökumenischen Religionsunterricht, sehen und werten könnten als Einstieg in einen gemeinsamen Konsultationsprozeß der beiden Kirchen mit einer Perspektive, daß im Jahre 2000 oder 2002 klarer wird, welchen gemeinsamen Beitrag beide Kirche zur kulturellen Selbstverständigung in dieser Gesellschaft in den verschiedensten Konkretionen leisten möchten. Das ist die erste Frage.
Die zweite Frage geht an die Kultusminister: Der Religionsunterricht ist nicht in einer Akzeptanzkrise, er ist in einer Umsetzungskrise. Ich möchte fragen, wie es kommt, daß an den verschiedensten Stellen nicht einmal kontrolliert wird, wie er ausfällt, warum er ausfällt, und daß an den verschiedensten Stellen eben im Blick der Politik der Religionsunterricht nicht die Aufmerksamkeit hat, die er jetzt hier erklärtermaßen braucht. Ich denke, wenn an

Der Religionsunterricht ist nicht in einer Akzeptanzkrise, er ist in einer Umsetzungskrise.

dieser Stelle sorgfältiger nachgegangen und nachhaltiger kontrolliert wird, wird auch konkret vor Ort der Religionsunterricht etwas häufiger wieder und etwas besser stattfinden können.

Mein Name ist *Ursula Hellert,* ich bin Leiterin der Jugenddorf-Christopherusschule in Braunschweig und spreche hier für alle Jugenddorf-Christopherusschulen im Christlichen Jugenddorfwerk Deutschland. Wir wissen, daß man eine christliche Schule dadurch erhält, daß man Religionsunterricht hat. Natürlich ist er unverzichtbar. Und er ist für alle Schülerinnen und Schüler Pflicht, sofern die Schule nicht eine Monopolstellung am Ort hat; dann muß man das gesondert überlegen. Aber ich möchte ein paar Punkte kommentieren. Zum einen: Wir machen gute Erfahrungen mit streckenweise gemeinsamem katholisch-evangelischen Religionsunterricht. Dieser Name ist bewußt so gesagt. Dazu kann ich nur ermuntern, denn diese Gemeinsamkeit ist das, was für Schülerinnen und Schüler wichtig ist. Dies setzt allerdings die Identität der Lehrkraft in ihrer Konfession voraus. Ansonsten kann man Religionsunterricht – das haben wir gehört – vergessen. Aber genauso ist dann die andere Seite zu sehen, die Garantie einer radikalen Denk- und Glaubensfreiheit in der Schule, gerade wenn Religionsunterricht Pflicht ist. Mein Appell an die Kirchen an dieser Stelle – das sage ich aus meinem Erfahrungsbereich, der natürlich subjektiv ist –, besonders an die Katholische Kirche, ist der, wirklich zu realisieren, daß der Taufschein, den Schüler und Schülerinnen mitbringen, so gut wie nichts mehr aussagt. Das gilt es zu realisieren! Ich erlebe, daß sich sehr viele eine Scheinwirklichkeit zurechtmachen, weil diese Jugendlichen ein Minimum an kirchlicher Institutionalisierung durchlaufen. Unsere Erfahrung ist die, daß die primäre religiöse Sozialisation so gut wie ausfällt. Schule kann sie nicht ersetzen, aber Schule hat dann um so mehr einen Auftrag. Meiner Meinung nach ist der Auftrag und die Aufgabe des Religionsunterrichtes eine dreigestaltige. Ich denke, wir sind uns alle einig, daß Bildung und Erziehung prinzipiell Persönlichkeitsbildung ist. Und dann sehe ich eben drei Ziele: Das eine Ziel, was den rationalen, den vernünftigen Aspekt anspricht, ist, den Jugendlichen klar zu machen, daß es so viele prinzipielle Standpunkte gar nicht gibt, auf die man sein Leben stellen kann. Die Auswahl ist in der Tat begrenzt. Und dieses einmal gehörig durchzudenken, ist gerade vom Religionsunterricht aus eine sehr gute Sache. Zum zweiten: Bei der Frage nach dem gelingenden Leben, die die Jugendlichen ja massiv bewegt, einmal wieder die Phantasie aufleuchten zu lassen. Dieses könnte auch in einem christlichen, vom Glauben geprägten Leben der Fall sein. Und zum dritten: In der Tat last but not least, und es ist mir in dieser Zeit enorm wichtig, Religionsunterricht soll die Chance zur Erinnerung schaffen. Für die Stunden im Leben, in denen es Zeit ist.

Religionsunterricht soll die Chance zur Erinnerung schaffen. Für die Stunden im Leben, in denen es Zeit ist.

Hans Heiner Boelte

Sie verstehen mich bitte recht, wenn ich manchmal unterbreche. Es stehen viele noch da und möchten etwas sagen.

Peter Hennes

Ich bin zur Zeit Vorsitzender des Bundeselternrates. Nach meinen Erfahrungen in vielen Diskussionen in den Elterngremien auf den verschiedensten Ebenen ist Religion eines der ersten Fächer, das als Manövriermasse zur Verfügung gestellt wird. Frau Präsidentin, hier haben wir genau den Unterschied, den Sie auch angesprochen haben.

Religionsunterricht darf nicht isoliert betrachtet werden, sondern muß in den Kontext des Bildungsbegriffes der Schule insgesamt eingebunden werden.

Religionsunterricht darf nicht isoliert betrachtet werden, sondern muß in den Kontext des Bildungsbegriffes der Schule insgesamt eingebunden werden. Das ist meines Erachtens einer der Hauptfehler, den wir alle machen, dem Religionsunterricht sozusagen die Menschenerziehung zu überlassen und im übrigen der Schule das Fachwissen. Die Schule und die Familie müßten aus einem Guß sein. Das ist viel zu wenig angesprochen worden. Ohne Familie, ohne Eltern läuft eigentlich in der Schule relativ wenig. Und das gilt natürlich für den Religionsunterricht wie für die christliche Erziehung. Herr Minister Rüttgers, Sie haben zu Recht gesagt, daß die Eltern sich mehr zu Wort melden sollten. Ich habe es gemacht. Ich stelle allerdings zum Abschluß die Frage: Werden wir eigentlich immer gern gehört?

Ich bin *Nadine* und komme von der Krankenpflegeschule in Gronau. Ich finde es erst einmal schön, daß auch wir, um die es eigentlich geht, kommen durften. Ich habe schon vieles gehört, und ich bin entsetzt darüber, was viele über den Religionsunterricht denken. Ich habe einen ganz anderen Eindruck davon. Vielleicht habe ich auch anderen Religionsunterricht genossen als Sie. Bei uns lief er anders ab, negativer, als er hier beschrieben wurde. Ich habe in der Praxis einen anderen Eindruck davon bekommen, als Sie sich das von der Theorie aus vorstellen. Dazu möchte ich sagen, daß wir in der Krankenpflegeschule Ethikunterricht haben, daß das für mich sehr wichtig ist, weil wir anders über unsere Probleme mit Patienten und über unsere Umgehensweisen sprechen können, und daß auf diesen Unterricht nicht verzichtet werden kann. Zum Religionsunterricht haben wir Schüler sowieso immer eine andere Meinung als die vom Parlament oder die Eltern, aber das wissen Sie ja, glaube ich, auch.

Zum Religionsunterricht haben wir Schüler sowieso immer eine andere Meinung als die vom Parlament oder die Eltern, aber das wissen Sie ja, glaube ich, auch.

Das war sehr schön: Die vom Parlament, wir von der Ethik.

Mein Name ist *Hermann Hubing,* ich bin Vorsitzender des Landeselternbeirates Hessen. Wenn ich mir die Diskussion anhöre, ist sehr viel vom theoretischen Überbau, wie es bei solchen Diskussionen oft der Fall ist, aber wenig von der schulischen Praxis die Rede. Wie sieht es denn aus? Um einen Religionsunterricht zu realisieren, brauchen wir ja drei Dinge: Man braucht zum einen die Lehrenden, man braucht zum zweiten diejenigen, die unterrichtet werden sollen, und man braucht zum dritten auch Unterrichtsstunden, die zur Verfügung stehen sollen. Aber gerade weil Politiker und Kirchenvertreter hier sind, ist natürlich die Frage zu stellen: Wie sieht es denn aus mit den Lehrenden im Fach Religion, und wie sieht es aus mit Religionsunterrichtsstunden? Weil Religionslehrer fehlen, fällt viel Religionsunterricht aus. Wir haben zwar eine Religionsabdeckung in der Stundentafel, aber die Praxis sieht anders aus. Wenn ich jetzt von Ihnen, Frau Präsidentin, gehört habe, daß Religionsunterricht existentiell wichtig ist, so stimme ich Ihnen zu. Nur das müßten ja gerade die Politiker dann auch umsetzen, daß die entsprechenden Unterrichtsstunden für dieses existentiell wichtige Fach auch zur

Verfügung stehen. Ich sage ganz offen als Elternvertreter: Wenn es zu entscheiden gilt, wo Unterrichtsstunden ausfallen, und die Wahl besteht zwischen Mathematik, Sport und Religion, dann weiß ich genau, daß den meisten Eltern, gerade in einer Zeit, wo wir hohe Jugendarbeitslosigkeit haben, das Hemd näher ist als die Jacke. Dann lassen wir trotz aller Wichtigkeit Sportunterricht oder Religionsunterricht ausfallen. Leider leben wir in einer Wirklichkeit, wo Teile der Eltern gezwungen sind, auf eigene Kosten Lehrer zu beschäftigen, weil Kernfächer ausfallen. Ich bitte Sie, dies bei dieser Diskussion über die Wichtigkeit von Religionsunterricht in der Schule auch zu berücksichtigen. Die institutionellen Bedingungen müssen an den Schulen auch vorhanden sein, ansonsten ist diese Diskussion trotz ihrer theoretischen Wichtigkeit Makulatur.

Wenn es zu entscheiden gilt, wo Unterrichtsstunden ausfallen, und die Wahl besteht zwischen Mathematik, Sport und Religion, dann weiß ich genau, daß den meisten Eltern, gerade in einer Zeit, wo wir hohe Jugendarbeitslosigkeit haben, das Hemd näher ist als die Jacke.

Hans Heiner Boelte

Wenn ich Sie, Pater Langendörfer, richtig verstanden habe, war es ja ein Sinn dieser Veranstaltung, solchen – ich sag das mal – Vorwärtsverteidigungsschritten von Eltern größere Resonanz und Raum zu geben.

Mir geht es um die Frage, wie Religion auf geheimem Wege heute schon kaltgestellt wird. Sehen Sie, ich komme aus der Schulpraxis und begrüße sehr die Eröffnung dieses Konsensprozesses, wie er heute mehrfach benannt wurde. Ich frage mich natürlich, inwieweit irgendwann die Diktatur des Sitzfleisches greifen wird, und ich hoffe zugleich darauf, daß die Gefahren umgangen werden können. Es soll bei der Eröffnung um einen kritischen Diskurs gehen. Ich muß mich da anschließen an mehrere meiner Vorredner. Erlauben Sie mir, die folgenden Einsparungen, d.h. die finanzielle Seite des Ganzen, ins Gespräch zu bringen. Wir haben in Nordrhein-Westfalen das Kienbaum-Gutachten, und jeder weiß um die Folgen dieses Gutachtens. Ich brauche das Klagelied dieses Gutachtens nicht erneut anzustimmen. Ich kann Ihnen aus meinem Erfahrungsbereich zwei Schulen nennen: Zuerst eine Zwerggrundschule im Ruhrgebiet, bei der Eltern auf einer Elternversammlung vor die Alternative gestellt wurden, entweder Sport und ökumenischen Religionsunterricht, oder konfessionellen Unterricht und keinen Sport. Da fallen sehr vielen Eltern Worte ein, wie „in einem gesunden Körper lebt auch ein gesunder Geist", und die Entscheidung ist dann nicht mehr schwer. Ein zweites Beispiel: Von einem durchaus renommierten Gymnasium im Ruhrgebiet, wo Druck ausgeübt wird mit einer ähnlichen Alternative, wie sie eben genannt wurde. Entweder können wir das Fach Deutsch unterrichten, oder Religion. Die Gründe sind vielfältig: Wir haben nicht genug Lehrer; wir können Planstellen nicht überbesetzen; wir haben keine neuen Gelder; wir können in den Bezirksregierungen keinen Kollegen oder die jungen Kollegen nicht in die Schulen hineinlassen. Aus diesen Gründen haben wir folgende Situation: Der Religionsunterricht steht schon längst am Rand, auch im Bewußtsein von vielen Eltern. Und ich weiß nicht, inwiefern Eltern heute wirklich jedesmal kritisch nachfragen, wenn Religionsunterricht ausfällt. Inwiefern bekomme ich korrekte Informationen, wenn Lehrer umfunktioniert eingesetzt werden und nicht paritätisch ihren Fächerausbildungen entsprechend? Das wäre eine ganz wichtige Frage. Ich glaube, da sind wir uns alle einig, daß das nicht sein darf. Ich sehe gerade im Anschluß an den Elternvertreter auch den Wert und die Bedeutung des Elternwortes, wenn Eltern sich zu Wort melden und die Rechte des Religionsunterrichtes in Anschlag bringen. Ich denke, das sollte man stärken, denn von dort kann die eigentliche Bewegung ausgehen, nicht so sehr von oben, sondern von dem Wunsch der Eltern herkommend.

Der Religionsunterricht steht schon längst am Rand, auch im Bewußtsein von vielen Eltern.

Meine Name ist *Klaus Weber,* im Rahmen der Lehrerausbildung vertrete ich die Katholische Theologie. Ich hätte eine Frage an Sie, Herr Kretschmann. Wünschen Sie sich eine islamische Fakultät und islamischen Religionsunterricht? Ich gehe davon aus, daß Sie dies dort wünschen, wo die Schülerzahlen es nahelegen. Wenn Sie als Kultusminister den Religionsunterricht heute organisieren, haben Sie als kompetenten und in der Verfassung genannten Ansprechpartner die Kirchen und Konfessionsgesellschaften, bzw. die Kirchenleitungen. Wen haben Sie als kompetenten Ansprechpartner im Islam?

Angelika Peters

Ich komme aus Brandenburg und bin die verantwortliche Ministerin für Bildung, Jugend und Sport. Ich bin sehr dankbar, daß mich die Einladung erreicht hat und daß ich die Möglichkeit habe, hier auch zu sprechen und eventuell auch einige Mißverständnisse richtigzustellen. Genau wie auch Berlin, wie auch Bremen, hat sich Brandenburg auf den Grundgesetzartikel 141, die sogenannte Bremer Klausel, berufen und hat für das Land entschieden: Wir wollen den Religionsunterricht fakultativ in die Schule hineinbekommen. Und das ist im Grundgesetz verankert. Wenn ich jetzt die bisherige Diskussion Revue passieren lasse, dann habe ich allerdings oft den Eindruck, daß LER eine Debatte losgetreten hat, was den Religionsunterricht anbelangt. Der Bundestag hat sich damit befaßt, mit einer Angelegenheit, die in der Hoheit des Landes Brandenburg steht. Minister Bräutigam war hier im Bundestag und hat hier auch vorgetragen und die Positionen Brandenburgs erklärt. LER (Lebensgestaltung-Ethik-Religionskunde) ist als wertorientierter

und bekenntnisfreier Unterricht mit dem Schuljahr 1996/97 verbindliches Unterrichtsfach geworden. Alle Schüler gemeinsam, nicht getrennt nach Konfessionen, nach Glaubensrichtung, alle miteinander sollen sich über sinnstiftende Fragen des Lebens unterhalten und sollen in den Diskurs eintreten, aus ihrer Perspektive heraus, je nachdem, wie sie ihre Sozialisation im Elternhaus erfahren und erlebt haben, und vor allen Dingen auch ihre persönlichen Dinge mit hineinbringen dürfen. Das Ziel dieses Unterrichtsfaches LER, das nun mehrfach genannt wurde, steht ja heute nicht zur Diskussion, aber ich sage es doch noch ganz kurz: Mit LER sollen Kompetenzen erworben werden. Die Schülerinnen und Schüler sollen vor allen Dingen soziale Kompetenzen erwerben und aus der Kenntnis der Weltreligionen heraus sich ihr eigenes Weltbild formulieren und auch formen. Das ist der Anspruch. Man darf den Hintergrund nicht vergessen, vor dem diese Entscheidung getroffen wurde. Wir haben ja sehr ausführlich über drei Jahre einen Modellversuch im Land Brandenburg organisiert; 24 Schulen waren beteiligt, der Versuch wurde um ein Jahr verlängert. Erst nach diesen drei Jahren ist die Evangelische Kirche bedauerlicherweise – ich sage es hier ausdrücklich: bedauerlicherweise – aus dem Schulversuch ausgestiegen. Der Hintergrund dieser Geschichte ist, daß 80% der Menschen

Mit LER sollen Kompetenzen erworben werden. Die Schülerinnen und Schüler sollen vor allen Dingen soziale Kompetenzen erwerben und aus der Kenntnis der Weltreligionen heraus sich ihr eigenes Weltbild formulieren und auch formen.

in Brandenburg keiner der großen Kirchen angehören. Es gibt erhebliche Wissensdefizite, viele weiße Felder auf diesem Gebiet. Wir wollen alle erreichen, und dieser Ansatz ist ursprünglich auch von Vertretern der Kirche maßgeblich so getragen worden. Ich merke noch einmal an, daß auch heute in Kirchenkreisen, besonders in der Evangelischen Kirche, die Diskussion noch nicht zu Ende ist, ob nicht doch der Religionsunterricht unter das Dach der Kirche gehörte. Ich will es ausdrücklich sagen: LER will und kann den Religionsunterricht nicht ersetzen. Es ist ein vollkommen anderer Anspruch. Demzufolge, Herr Minister Rüttgers, steht die Frage überhaupt nicht an, ob LER den Religionsunterricht irgendwie in Frage stellen könnte. Also noch einmal gesagt: LER will und kann Religionsunterricht nicht ersetzen. Aber das Landesschulgesetz legt eben fest, daß sich die Schulen zu öffnen haben und die Kirchen das Recht haben, in die Schulen hineinzukommen. Sie sind ausdrücklich eingeladen, dieses zu tun. Und ich kann auch hier sagen, Herr Kollege Althaus, daß wir uns in unseren Zahlen gar nicht maßgeblich unterscheiden werden, was die Anzahl der Kinder, die Religionsunterricht erfahren, anbelangt. Da bin ich mir nahezu sicher, daß auch in Brandenburg – die Zahlen sind übrigens steigend –, das Angebot angenommen wird. Schülerinnen und Schüler, für die der LER-Unterricht obligatorisches Fach ist, die sich aber aufgrund ihrer christlichen Sozialisation belastet und beladen fühlen und nicht teilnehmen möchten, haben die Möglichkeit, sich freistellen zu lassen. Sie

Also noch einmal gesagt: LER will und kann Religionsunterricht nicht ersetzen.

haben dann die Möglichkeit, Religionsunterricht zu wählen. Vielleicht ist auch hier interessant, daß zwei Prozent der Schülerinnen und Schüler, die das Unterrichtsfach LER erfahren, von dieser Möglichkeit der Freistellung Gebrauch machen. Es gibt auch das Angebot, beides zu nutzen; sie können LER gleichermaßen wie Religionsunterricht erfahren. Wir haben mit der Evangelischen Kirche eine Vereinbarung getroffen und darin die Bedingungen, unter denen Religionsunterricht in Brandenburg stattfindet, ausgesprochen großzügig zugeschnitten. So werden 90% der Personalkosten von Staatsseite getragen; Lehrkräfte, die sich in die Ausbildung zum Religionslehrer begeben wollen, bekommen teilweise eine Freistellung vom Unterricht, werden also stundenweise, tageweise freigestellt. Die Kirchen stellen sich vor, geben in Bild, Schrift und Wort ihr Angebot in den Schulen, offerieren sich. Religionsunterricht im fakultativen Bereich kann auch um 10.00 oder um 11.00 oder im 12.00 Uhr mitten in der Stundentafel angeboten werden, wenn es organisatorisch möglich ist, nicht nur dann, wenn der Schulbus abgefahren ist, sondern Religionsunterricht kann auch in der Mitte der Stundentafel, wenn es eben den Anspruch gibt, angeboten werden. Kurzum, mein Plädoyer ist: Bitte nehmen Sie zur Kenntnis, daß die Kirchen aus brandenburgischen Schulen nicht vertrieben sind. Im Gegenteil, die Schultore sind weit geöffnet, und die Einladung ist nach wie vor sehr herzlich ausgesprochen, hinein in die

Bitte nehmen Sie zur Kenntnis, daß die Kirchen aus brandenburgischen Schulen nicht vertrieben sind.

Schule zu kommen und ihr Bildungsangebot zu machen. Leider hat sich die Katholische Kirche bisher verwehrt. Und was Artikel 141 oder Artikel 7 Abs. 3 GG anbelangt, darüber werden dann die Richter von Karlsruhe zu entscheiden haben.

Hans Heiner Boelte

Die Diskussion wird weitergehen, unabhängig von dem Urteil in Karlsruhe. Die werden einen Schlußstrich setzen unter eine bestimmte Diskussion; die andere wird weitergehen, nachdem Sie ja auch gesagt haben, daß LER Religionsunterricht eigentlich nicht als Fach ersetzen soll und auch nicht ersetzen kann.

Mein Name ist *Walter Eykmann.* Ich komme aus Würzburg und bin Vorsitzender einer größeren Elternorganisation. Der Zufall gibt mir die Chance, daß ich nach Ihnen reden darf, und so kann ich sofort einen Punkt von Ihnen aufgreifen. Sie haben davon gesprochen, daß der LER-Unterricht sinn- und wertstiftend sein soll. Jetzt frage ich: Wie sieht das bei dem Lehrer, der LER unterrichtet, aus? Für welchen Sinn und für welche Werte steht er? Vom Religionsunterricht weiß ich genau, ob er evangelisch oder katholisch oder so ähnlich ist.

Zweiter Punkt: Wenn Sie wenigstens LER als Wahlpflichtfach eingeführt hätten, würden wir uns ja gar nicht aufregen. Aber Sie haben es ja als ausschließliches Fach eingeführt, und Sie sagen, daß Religionsunterricht fakultativ dabei sein darf. Genau das ist meiner Meinung nach nicht die Verfassungslage. Aber das wird Karlsruhe entscheiden. Man könnte jetzt weitere Dinge bringen, aber ich will mich nicht auf LER einschießen, weil es eigentlich um den Religionsunterricht geht. Ich habe jetzt noch eine Frage an Herrn Catenhusen und an Graf Lambsdorff. Sie haben beide den Eindruck vermittelt, als wenn das Thema Kirche-Staat im Moment in der Bundesrepublik nicht sonderlich von Diskussionsträchtigkeit gekennzeichnet sei. Ich darf schlicht und einfach nur drei Dinge nennen: Erstens, daß wir heute hier sind. Zweitens darf ich an das Kruzifix-Urteil erinnern im August 1995, das ja nicht von ungefähr gekommen ist. Und ich darf, drittens, natürlich an LER erinnern. Ich meine, daß es ein bißchen puristisch ist anzunehmen, daß das nicht ein Thema wäre, mit dem wir uns heute zu beschäftigen hätten.

Dritter Punkt, ganz kurz: Verehrter Herr Bundesminister Rüttgers, Sie haben dankenswerterweise eine Überschrift der Presseerklärung der Katholischen Elternschaft Deutschlands übernommen, zu der ich gehöre: Eltern sollen sich einmischen, und das nutze ich gerne, um mich bei Ihnen einzumischen. Wir Eltern waren enttäuscht, als Sie gesagt haben, Kinder sollen mit fünf Jahren bereits in die Schule. Das wollte ich Ihnen bei der Gelegenheit schnell sagen, denn ich weiß nicht, wann ich Sie wieder vor die Flinte bekomme.

Hans Heiner Boelte

Ich darf um Ihr Verständnis bitten, wenn ich jetzt alle weiteren Gespräche untereinander auf die Zeit nach 21 Uhr vertröste, weil ich jetzt dem Podium noch einmal Gelegenheit geben möchte zu sprechen, diesmal in anderer Reihenfolge als zu Beginn. Ich möchte mit Herrn Kretschmann anfangen. Was möchten Sie uns noch sagen über das hinaus, was Sie vorbereitet hatten, und in Anbetracht der Ergebnisse der Diskussion und der Diskussionsbeiträge aus dem Plenum? Was möchten Sie noch hinterlassen als Spur für den heutigen Abend?

Winfried Kretschmann

Wir leben nicht nur im Lande Luthers, sondern auch im Lande Marx', Feuerbachs und Nietzsches.

Ich möchte noch mal etwas zum Thema LER und Religionsunterricht sagen. Ich halte es für etwas vermessen, so zu tun, als könne nur der Religionsunterricht verbindliche Werte vermitteln. Ich bitte Sie! Wir leben nicht nur im Lande Luthers, sondern auch im Lande Marx',

Feuerbachs und Nietzsches. (Zwischenruf: Ja, mit Nietzsche Wertevermittlung!) Also ich weiß ehrlich gesagt nicht, wie man Wertevermittlung betreiben soll, ohne an Nietzsche vorbeizukommen. Aber das ist eine andere Geschichte, die ein andermal erzählt werden soll. Wenn man – ich möchte sagen – sich dazu versteigt, daß nur der Religionsunterricht so etwas wie ein verbindliches Fundament der Werte vermitteln kann, was ist dann mit den Menschen, die sich zunehmend abwenden von der Kirche, die sich keiner Religionsgemeinschaft zugehörig fühlen? Ich halte das für Unsinn. Ich selber bin Ethiklehrer und übe diesen Beruf auch noch aus. Es ist meine Aufgabe, jungen Menschen, die keiner Konfession angehören oder sich davon abgewendet haben, die Möglichkeit zu geben, ihre Werte zu finden. Und überhaupt kann gute Pädagogik niemals mehr als Hebammenkunst sein, sei es im Religionsunterricht oder sei es im Ethikunterricht. Und letztlich machen wir einen aufgeklärten Unterricht und fordern die jungen Menschen auf, selbst zu denken. Und darum kommt niemand herum. Und ich bin wirklich froh, daß auch viele Beiträge aus dem Publikum gekommen sind, die diese Frage etwas tiefer und damit realistischer hängen. Wenn man sich in diese Dichotomie versteigt, dann macht ein Alternativfach überhaupt keinen Sinn. Es fällt doch unter dieselbe Kritik und ist daher nicht haltbar. Wenn ich mit meinen Schülern im Unterricht Sokrates behandele, sind das selbstverständlich Wegzeigungen für diese jungen Menschen, darüber kann doch überhaupt kein Zweifel bestehen. Und sie sind wertvoll, und ohne sie ist die Geschichte des Abendlandes überhaupt nicht denkbar.

Es ist meine Bitte, daß wir uns da in nichts versteigen. Das sage ich Ihnen als ein in der Wolle gefärbter Katholik. Aber ich weiß auch, daß Religion eben nicht nur Werte vermittelt hat und frohe Botschaften, sondern daß sie auch jederzeit in der Geschichte daraus Drohbotschaften gemacht hat. Und wie oft ist „Verrat am Evangelium“ begangen worden? Kein Zitat von mir, sondern von Kardinal König. Selbstverständlich kann Religion auch das Gegenteil von Werten vermitteln, und wir sehen weltweit, wie das geschieht. Jeder Wert kann auch entarten, gar in sein Gegenteil verkehren, davor ist niemand gefeit. Darum denke ich, ist doch etwas mehr Realismus und kritische Selbstdistanz nötig.

Noch zu der Frage, die mir gestellt worden ist: Die Schwierigkeiten, auch einen islamischen Religionsunterricht zu etablieren, verkenne ich keineswegs, sie sind mir wohlbekannt. Aber es ist ein Unterschied, ob ich das ständig als Vorwand nehme, um nicht tätig zu werden, oder ob eine Landesregierung ernsthaft versucht, das Problem wirklich konsequent anzugehen. Das kann ich nirgends erkennen. Ich kann nirgends den wirklichen Ernst erkennen, dieses Problem zu lösen, sondern die Schwierigkeiten werden immer genommen, um gar nicht an die Lösungen heranzugehen. Aber wir sind in der Politik dazu da, schwierige Probleme zu lösen, die kleinen lösen sich sowieso von alleine. Wie wird das in der Praxis vonstatten gehen? Dort, wo es Moscheen gibt, die islamischen Religionsunterricht wünschen – die gibt es selbstverständlich –, wird man über Modellversuche erste Schritte machen. Jedenfalls ist die grundgesetzlich gewährte Religionsfreiheit nicht zugeschnitten auf das Bild der christlichen Kirchen, die eben eine Hochkirche haben – wo der Staat schließlich Konkordate mit dem Vatikan macht – sondern sie ist selbstverständlich auch möglich für andere Formen von Religiosität und Religionsgemeinschaften, nicht nur für die angestammten, obwohl das ohne Zweifel schwieriger ist. Wenn man das ernsthafte Bemühen spürt, das Problem anzugehen, dann glaube ich, werden sich auch erste Schritte finden, um es in unserer Wirklichkeit durchzusetzen und damit vom Verfassungsanspruch zur Verfassungswirklichkeit zu kommen.

Richard Schröder

Ich kann die Ausführungen von meinem Vorgänger sozusagen biographisch bestätigen. Für mich sind z.B. Michael Kohlhaas im Deutschunterricht und die Apologie des Sokrates im Griechischunterricht fundamental prägende Erfahrungen. Und das will ich jetzt noch mal sagen: Ich für meinen Teil sehe das ganz genau so, daß das ein wichtiges Element ist außerhalb des Religionsunterrichtes. Dann wollte ich darauf hinweisen, daß der Unterschied zwischen Ost und West in den Fragen von Religion, der eklatante Zahlenunterschied, der ganz gewaltig zu sein scheint, so groß nun auch wieder nicht ist, weil wir folgenden Unterschied haben: Diejenigen, die gar nicht bereit sind, eine christliche Lebenspraxis auszuüben, die befinden sich zu einem erheblichen Teil im Westen noch in der Kirche, und im Osten außerhalb der Kirche. Der Unterschied ist allerdings, daß der Hof um diejenigen, die es mit dem Christentum ernst nehmen, im Westen eher distanziert kirchenfreundlich gesonnen ist nach dem Grundsatz: naja, ich halte nichts davon, aber eigentlich eine gute Sache; und im Osten ist die Gruppe derer stärker, die sagen: Religion ist Opium für das Volk, und was sie sonst noch so gelernt haben. Mein letzter Satz: Ich finde, daß die Zielbeschreibung für einen Normen und Werte vermittelnden Unterricht der Art, daß aus der Kenntnis der Weltreligion heraus sich jedes Kind oder jeder Jugendliche seinen eigenen Standpunkt formulieren soll, eine weltfremde Zielbeschreibung ist. Jeder Schüler stiftet sich sein Religiönchen! Dann kommt ja doch der Verdacht auf, der doch nicht so ganz unberechtigt ist, daß da eine breite Palette religiöser Möglichkeiten zur Auswahl angeboten werden soll, sozusagen religiöse Konsumerziehung.

Jeder Schüler stiftet sich sein Religiönchen!

Otto Graf Lambsdorff

Es wurde gesagt, Herr Catenhusen und ich meinten, es gäbe nichts Diskussionsträchtiges zwischen Kirche und Staat. Ich habe das nicht gesagt und Herr Catenhusen auch nicht. Das Thema Trennung Kirche und Staat ist kein Diskussionsthema. Es wurden hier ein paar Punkte aufgezählt, zu denen ich noch die Kirchensteuer und die Militärseelsorge hinzufügen kann. Es gibt vieles zu diskutieren zwischen Kirche und Staat. Wenn es das nicht gäbe, wäre es keine lebendige Beziehung. Das muß so sein. Aber das Thema Trennung Kirche und Staat kann man vielleicht irgendwo in akademischen Zirkeln veranstalten, in Wirklichkeit interessiert das keinen Menschen.

Die Frage, die vorhin angeschnitten worden ist, ist eine praktische Frage, die es im Schulbereich gibt; das verstehe ich alles: Ich mache hier jetzt 26 Jahre Politik in Bonn und ich habe noch nicht ein einziges Mal Gelegenheit gehabt, auch nur in irgendeiner dieser Fragen irgendeine Entscheidung mitzubeeinflussen. Diese Fragen muß man also bei den anwesenden Landesministern anbringen; bei Bundespolitikern können Sie die nicht anbringen. Ein Blick in die Verfassung hilft gelegentlich zur Behandlung solcher Fragen.

Meine Damen und Herren, in einem Punkt wird es natürlich schon ernster. Frau Peter, wenn ich das höre, was Sie hier vorgetragen haben, und wenn ich mir den Inhalt der Begründung der Verfassungsbeschwerde ansehe, die die Eltern nach Karlsruhe geschickt haben, dann verstehe ich die Welt nicht mehr. Entweder leben die auf einem anderen Stern und beklagen sich über Dinge, die es überhaupt nicht gibt, oder sie haben recht. Ich kann nur sagen, und deswegen ist das Thema LER in meinen Augen von höchster Bedeutung: Die Zielsetzung von vielen, die für LER sind –

Wenn ich mir den Inhalt der Begründung der Verfassungsbeschwerde ansehe, die die Eltern nach Karlsruhe geschickt haben, dann verstehe ich die Welt nicht mehr.

ich will es nicht Ihnen unterstellen – ist doch, den Religionsunterricht am Ende aus der Schule herauszubringen. Und deswegen muß man sich dagegen rechtzeitig wehren.

Letzte Bemerkung: Herr Bischof, es wird Sie nicht wundern, daß ich mit Ihrer Antwort überhaupt nicht zufrieden bin, was die Schüleridentität anbelangt. Wo sind wir denn eigentlich, verehrter Herr Bischof? Wir sind in Missionsgebieten! Und da wollen wir junge Leute, die noch nicht zur, in Ihrem Fall katholischen, Kirche gehören, nicht in den katholischen Religionsunterricht lassen? Das ist ja so wie die Pharisäer und Zöllner, die auch nicht in den Tempel gelassen wurden.

Jürgen Rüttgers

Wenn ich es recht in Erinnerung habe, die Pharisäer schon.

Otto Graf Lambsdorff

Sie wissen bei denen besser Bescheid, Herr Rüttgers.

Ich habe halt einen guten Religionsunterricht gehabt, Graf Lambsdorff.
Das Schöne bei solchen Diskussionen und das Schlimme ist auch: irgendwann sind sie zu Ende und es gibt eigentlich noch viele Bemerkungen und viele Fragen, die man im Detail diskutieren müßte. Das ist schon wahr, verehrter Graf Lambsdorff, was hier angemerkt wurde. Der Hinweis aufs Grundgesetz hilft da überhaupt nicht. Wenn 190 000 Schüler in diesem Jahr neu in die Schule kommen und nur 1300 Lehrer eingestellt werden, 1 : 150, dann ist das eine Geschichte, die unabhängig von der Frage, ob man im Land oder im Bund tätig ist, für den Standort Deutschland, verehrter Markgraf, wichtig ist, denn die Standortdebatte fängt im Klassenzimmer an und nirgendwo anders.

Natürlich wäre es wichtig, darüber nachzudenken, wie das mit der Religion in der Berufsschule ist; und vielleicht sollten diejenigen, die dafür Verantwortung tragen, auch mal zur Kenntnis nehmen, daß 70 % der Berufsschüler heute erwachsen und nicht mehr, wie in den Köpfen noch herumschwirrt, „Stifte“ sind, die im normalen Unterricht wie Haupt- oder Realschüler zu behandeln sind. Diese Schüler stellen ganz andere Fragen und erwarten Antworten. Da ist dann sofort wieder das spannende Thema der Lehrausbildung auf der Tagesordnung, und vermutlich auch die Ausbildung von Religionslehrern in den Berufsschulen.

Und natürlich wäre es spannend, auch noch mal darüber zu diskutieren, verehrter Herr Kretschmann, was das eigentlich für ein Denken ist, das die Rechtfertigung des Religionsunterrichtes daraus ableitet, daß es notwendig sei, Religion in die Gesellschaft zu integrieren. Also auf so einen Gedanken wäre ich wirklich auch bei tiefem Nachdenken nicht gekommen, daß Religion in die Gesellschaft zu integrieren sei. 50 Jahre Bundesrepublik Deutschland zeigen, daß diejenigen, die für Religion in Deutschland stehen und gestanden haben, trotz aller Fehler einen erheblichen Beitrag dazu geleistet haben, daß dies eines der schönsten, offensten und freiheitlichsten Länder dieser Welt geworden ist. Und natürlich wäre es spannend, darüber nachzudenken, wie man eigentlich in einer Gesellschaft über Werte diskutieren kann, in der doch anscheinend das „anything goes" die einzig akzeptable und von allen akzeptierte Maxime ist.

50 Jahre Bundesrepublik Deutschland zeigen, daß diejenigen, die für Religion in Deutschland stehen und gestanden haben, trotz aller Fehler einen erheblichen Beitrag dazu geleistet haben, daß dies eines der schönsten, offensten und freiheitlichsten Länder dieser Welt geworden ist.

Und dann sind mir eigentlich folgende Fragen nach den Beiträgen im Plenum durch den Kopf gegangen: Warum entscheiden sich Eltern, so wurde berichtet, gegen das Fach Religion? Das hat mich zu einer Frage geführt, die ich mir gestellt habe, als die Einladung zu dieser Veranstaltung kam. Da habe ich mich gefragt: Warum machen die so eine Veranstaltung? Warum machen die diese Veranstaltung so groß? Warum machen die die Veranstaltung im Wasserwerk mit einem ganz bestimmten Anspruch? Das weiß man: Wer hier eine Veranstaltung macht, der will auch etwas Bestimmtes erreichen, der will nämlich wahrgenommen werden. Und dann kam ich zu der Frage zurück: Was wollen die eigentlich? Wollen die Rückzug, oder wollen die Offensive mit diesem Thema? Und da fiel mir ein, und das ist eigentlich das, was ich noch bemerken möchte, und ich weiß, daß ich damit Bischof Lehmann unterstütze: Rückzug aus der Gesellschaft kann es doch wohl nicht sein! Das sage ich auch als Katholik: Rückzug kann es doch nicht sein, in einem Land, das vielleicht am schlimmsten davon geprägt ist, daß es inzwischen zu einem Land der organisierten Unverantwortlichkeit geworden ist. Jeder ist an allem beteiligt, aber niemand ist für irgend etwas verantwortlich. Und wenn das stimmt, daß es eigentlich um eine Offensive und damit um Selbstbewußtsein geht, dann darf eigentlich eins nicht passieren, worauf mich das, was Kollege Althaus gesagt hatte, gebracht hat: Es wäre ja nun wirklich schlimm, wenn wir in Zukunft nicht in allen, aber in manchen neuen Bundesländern steigende Zahlen beim Religionsunterricht hätten, und im Westen trocknet er aus.

Hans Heiner Boelte

Ich beginne jetzt bei Herrn Catenhusen, danach haben zwei Kultusminister auch noch etwas zu sagen. Und dann kommen wir zum Ende.

Wolf-Michael Catenhusen

Thema: keine Grundsatzdebatte. Wie gesagt, mir ging es darum, daß wir das nicht von Grund auf diskutieren müssen, weil wir eine historisch gewachsene Verfassungspraxis seit 50 Jahren haben. Wir versuchen, Konsens herbeizuführen oder die konkreten Streitpunkte auszutragen, wo sich im Verhältnis von Staat und Kirche auf der Grundlage der jetzigen Verfassung Probleme ergeben. Und die müssen wir dann auch hart ausdiskutieren. Zum Beispiel die Frage, ob Kreuze in den Schulen aufgehängt werden. Immer dort, wo Religion im öffentlichen Raum stattfindet, gibt es auch die Frage der Religionsfreiheit und Gewissensfreiheit einzelner, was dann im Einzelfall abgewogen werden muß; darüber sollte man sich streiten. Bitte keine abstrakte Grundsatzdebatte, wie denn Staat und Kirche abstrakt miteinander umzugehen hätten. Sie wissen, das hat sich weltweit unterschiedlich entwikkelt, wir können z.B. aus der Situation in Amerika wenig lernen. Und ich sage Ihnen auch ganz deutlich, wenn wir hier islamischen Fundamentalismus oder evan-

Bitte keine abstrakte Grundsatzdebatte, wie denn Staat und Kirche abstrakt miteinander umzugehen hätten.

gelikalen Fundamentalismus als prägende Kraft unserer Kirchen hätten, dann würden wir eine ganz andere Diskussion über das Verhältnis von Staat und Kirche führen, als wir es, Gott sei Dank, aufgrund der realen Situation des Zusammenlebens mit den Kirchen hier in Deutschland haben. Das kann man nicht abstrahieren, das ist auch gut so.

Zweiter Punkt: Was Ostdeutschland angeht, habe ich Herrn Althaus und auch Frau Peters sehr aufmerksam zugehört. Und als Westdeutscher, der viele Verwandte in Ostdeutschland hat – einer meiner Verwandten ist dort Superintendent eines Kreises in Brandenburg – habe ich etwas von der Debatte dort mitbekommen, die mich dann veranlaßt hat, das sehr kritisch zu sehen, was da läuft. Aber ich möchte sehr dafür plädieren, daß wir auf der einen Seite sehen, daß an diesem Versuch in Brandenburg auch viele beteiligt sind, die sich ausgesprochen engagiert in der Evangelischen Kirche vor 1989 betätigt haben. Frau Birtler war Katechetin der Evangelischen Kirche, und es gibt viele, die der Meinung sind, daß es ein Versuch ist, bestimmte historische Erfahrungen in anderen Formen der Zusammenarbeit von Staat und Kirche zu verarbeiten. Ich würde sehr dafür plädieren, nach drei, vier Jahren nüchtern zu analysieren, was dieser LER-Versuch und die Vorgehensweisen anderer ostdeutscher Bundesländer in der Realität bringen in bezug auf die Akzeptanz von Religionsunterricht im öffentlichen Raum Schule. Das sage ich, obwohl ich persönlich diesen LER-Versuch nicht unterstütze, aber ich sage noch einmal: Wir sollten uns diese Geduld bewahren und nicht LER zum Anlaß nehmen, bundesweit eine schleichende Erosion des Religionsunterrichtes zu beschwören. Ich bin froh, daß wir diese Debatte, wie wir sie vor ein paar Monaten im Bundestag hatten, heute nicht fortgesetzt haben.

Letzter Punkt: Ich bitte die Elternvertreter, Zahlen sprechen zu lassen. Wie sieht das mit Unterrichtsausfall aus? Ist der Religionsunterricht tatsächlich in besonderer Weise im Grundschul-, im Hauptschul-, im Realschulbereich, im Gymnasium betroffen? In welcher Art und Weise? Es gibt kein Grundsatzproblem dabei, das wissen wir alle. Aber die Aussage, der Religionsunterricht sei in besonderer Weise Opfer dieser Probleme, muß durch Zahlen erhärtet werden. Die Diskussion war mir an der Stelle viel zu pauschal. Sie ist eigentlich dann auch mehr eine Ersatzdiskussion, und ich glaube, daß wir damit weder als Bundes- noch als Landespolitiker weiterkommen.

Letzte Bemerkung zu dem Thema Rückzug aus der Gesellschaft: Offensive ja! Herr Rüttgers, das ist natürlich ein wichtiger Punkt. Ich bin aber nicht Ihrer Meinung, daß die Standortdebatte im Klassenzimmer anfangen soll, um Gottes willen! Ich wünsche mir eine Schule, die nicht auf Standortdebatten funktionalisiert wird, sondern die einen umfassenden sozialen und kulturellen Bildungsauftrag behält, in der auch die Qualität des Schulsystems nach mehr Kriterien bewertet wird, als wir manchmal in der Standortdebatte verwenden. Ich bitte Sie also, Bildung nicht nur noch so funktional zu sehen, wie es manchmal unter Standortdebattengesichtspunkt mit unserer sozialen Gerechtigkeit und anderen Dingen passiert. Ich plädiere für einen umfassenden humanistischen Bildungsbegriff, der uns vielleicht auch auf die Dauer fitter macht in der Konkurrenz zu andern Ländern, als dies eine ökonomisch verschlankte und verkürzte Bildungsinstitution Schule sein könnte. Danke schön.

Rolf Wernstedt

Ich möchte drei Bemerkungen machen. Die eine ist eine praktische: Wir haben im Lande Niedersachsen – ich kann nicht für alle Kultusminister reden, so etwas läßt das föderale Prinzip nun wirklich nicht zu; als Präsident der Kultusministerkonferenz bin ich eher Koordinator, wie ich leidvoll in diesem Sommer in Sachen Rechtschreibreform erfahren habe – in den vergangenen Jahren mehr Religionslehrer eingestellt, als die Stundentafel prozentual hergibt im Verhältnis zu den anderen Einstellungen. Und wenn in Niedersachsen jeder Religionslehrer mit Fakultas Religion in seinem Fach eingesetzt würde, gäbe es nicht eine einzige Stunde Ausfall. Der Hintergrund, der hier schon angesprochen worden ist, ist natürlich, daß in der konkreten Entscheidung vor Ort bei der Stundenplangestaltung, wenn es Engpässe gibt, dann in der Regel auch mit Zustimmung der Eltern Religion ausfällt, zumindest dann, wenn in evangelischen Gebieten unter Umständen auf den Konfirmandenunterricht zurückgegriffen werden kann. Dies ist eine Debatte, die dazu führt, daß die Schulen Religionslehrer anfordern, gleichzeitig dann aber nicht einsetzen, und in zwei Jahren schon wieder die Anforderung stellen, weil sie Religionslehrer brauchen. Auf diese Weise füllen sie sozusagen das andere ab. Es gibt technische Möglichkeiten, das unter Umständen besser zu regeln. Wir wollen gemeinsam mit den Kirchen versuchen, das zu stabilisieren. Dazu gehört dann auch eine Elterndebatte, die das thematisiert, was Sie hier aus Hessen angesprochen haben.

Zweiter Punkt: Mich interessiert an dem Versuch LER das, was im sozusagen offenbaren Missionsgebiet der neuen Bundesländer im Verhältnis zu dem verdeckten Missionsgebiet der alten Bundesländer besonders interessiert. Ich weiß aus eigener Schulerfahrung in der DDR und aus vielen Kontakten mit Verwandten und vielen anderen, daß Religion in der Masse der Bevölkerung der DDR unter totalem Ideologieverdacht steht. Das Wort von Karl Marx „Religion ist Opium des Volkes" kennen fast alle, die dort groß geworden sind. Wenn dem so ist, und wir in dem Sinne differenziert über Religionsunterricht und seine Funktion, seine Fragestellungen und seine Bedeutung sprechen, die er für die Existenz des Menschen tatsächlich hat, dann muß man andere Fragen stellen als nur organisatorischer Art. Das interessiert mich am Zugang: Wie finde ich denn eigentlich Menschen, die aufgeschlossen sind, über sich und ihre Existenz zu reden. Karl Marx hat nie eine Antwort gegeben auf bestimmte existentielle Fragen. Kann man aber mit Leuten, die mit Karl Marx groß geworden sind, auch diskutieren,

Kann man aber mit Leuten, die mit Karl Marx groß geworden sind, auch diskutieren, was da eigentlich noch an Defiziten vorhanden ist?

was da eigentlich noch an Defiziten vorhanden ist? Ich glaube, daß viel Spannung in der Frage liegt. Und deswegen finde ich das schon inhaltlich spannend, wie der Zugang eigentlich gefunden werden kann zu solchen Fragestellungen.

Das Dritte: Herr Rüttgers, ich würde liebend gerne Lehrer einstellen. Sie haben einen Etat von 13 bis 14 Milliarden, wenn ich mich recht erinnere. Sie haben neulich im Bundestag mit Stolz verkündet, daß Sie um 130 Millionen gesteigert haben. Ich habe einen Etat von 7 Milliarden, davon 93% Personalkosten. Lehrerinnen und Lehrer werden alle nach A 12, A 13, A 14 bezahlt; ich habe in diesem Haushalt 420 Millionen DM mehr und trotzdem einige Lehrerstellen weniger. Warum? Weil natürlich auch die Lehrer an den Tariferhöhungen teilnehmen müssen. Das heißt, wir diskutieren in Deutschland überhaupt nicht über Bildungsabbau, was das Geld angeht, sondern darüber, welche Maßstäbe gelten sollen und in welchen Zwängen sich hier der Haushalt befindet. Und das geht in anderen Ländern genauso. Aber das ist jetzt eine andere Debatte, da müssen wir uns vielleicht doch darüber unterhalten, was wir machen können und was Bildung wert sein soll.

Hans Heiner Boelte

Herr Althaus, bitte nur zum Religionsunterricht und nicht zu den anderen Problemen, die wir heute abend zwar noch diskutieren können, aber nicht hier.

Erste Bemerkung: Wenn es so ist, daß in den neuen Ländern z.B. Religion unter Ideologieverdacht steht, was aus einigen Veröffentlichungen hervorgeht, müssen wir die Chance nutzen und Religionsunterricht einführen. Denn zum einen haben Christen, ob evangelische oder katholische Christen, ein Recht, entsprechend auch in dieser wichtigen Wertefrage unterrichtet zu werden. Und zum anderen sichern wir den Diskurs an der Schule. Dieser Diskurs erfolgt praktisch auch in fächerübergreifenden Themen und gemeinsamen Projekten.

Zweite Bemerkung: Natürlich muß für die vielen Nichtchristen z.B. in Thüringen ein Fach angeboten werden; deshalb ist Ethik gleichberechtigtes Unterrichtsfach. Ich verstehe also nicht, warum man mit LER eine Alternative schafft, die den Religionsunterricht ausschließt und ihn in einen Subraum verbannt. Das war 40 Jahre das Prinzip des Ideologiestaates DDR. Wir brauchen gerade in den neuen Ländern den Religionsunterricht, damit ein christliches Kind ein entsprechendes Angebot erhält.

Dritte Bemerkung: Wir haben in Thüringen auch ein Curriculum für die Ethiklehrer-Ausbildung, wir bilden sowohl in Erfurt als auch in Jena Ethiklehrer aus. Der wichtige Bereich der Religion ist dort auch integriert. Als dieses Curriculum entstand, gab es eine heftige Diskussion darüber, ob und welche Rolle die Religion spielen sollte. Inzwischen sind die Studienpläne selbstverständlich integrativ angelegt.

Vierte Bemerkung: Mit Recht stellen Eltern die Frage, ob gegenüber dem Fach Religion genügend Aufmerksamkeit existiert. Diese Aufmerksamkeit existiert dann, wenn Eltern sich vor Ort einmischen und mit Politikern diskutieren. Dabei haben wir in Thüringen ein besonderes Problem, nämlich 60% Schülerrückgang in den nächsten fünf Jahren. Dies stellt auch ein ernsthaftes Problem für den Religionsunterricht dar. Wir sind auf dem Weg, trotz dieser demographischen Entwicklung den Aufbau eines neuen Schulsystems fortzusetzen, und gleichzeitig führen wir den Religionsunterricht ein.

Es ist ein gutes Zeichen in diesem Zusammenhang, wenn heute im Vergleich zu 1992 schon fast 80% aller Schüler am Religionsunterricht oder am Ethikunterricht teilnehmen können. Für die restlichen 20% der Schüler fällt in der Regel beides noch aus, weil wir die personellen Voraussetzungen noch nicht haben. Dieser Trend der Entwicklung darf auch bei der schon erwähnten demographischen Entwicklung nicht verlorengehen.

Fünfte Bemerkung: Wenn wir uns heute abend einig sind, wie wichtig der Religionsunterricht für Bildung und Erziehung, also für den Erziehungs- und Bildungsauftrag der Schule ist, möchte ich, wie mehrere andere Statements, auf die berufsbildenden Schulen verweisen. Wir dürfen das nicht nur hier sagen, sondern wir müssen das in die allgemeine Debatte einbringen. Mein Eindruck ist ein ganz anderer: Die berufliche Bildung muß sich derzeit rechtfertigen für die allgemeinbildenden Inhalte, insbesondere für den Religions- und Ethikunterricht sowie den Sportunterricht. Es scheint nur um den berufspraktischen und berufstheoretischen Unterricht zu gehen. Ich plädiere dafür, daß auch nach der Klasse 9 oder 10 die Allgemeinbildung in den berufsbildenden Schulen eine Aufgabe bleibt. Daß wir in Thüringen hier noch am Anfang stehen, ist gar keine Frage. Ich sage ganz freimütig: In Thüringer Berufsschulen können derzeit höchstens 2% der Schüler überhaupt Religionsunterricht und etwa 10% Ethikunterricht besuchen. Wir haben hier ein ernstes Personalproblem, das wir in den nächsten Jahren lösen müssen. Aber die Politik sagt ja zum Religions- und Ethikunterricht auch in der berufsbildenden Schule.

Die heutige Debatte hat deutlich gemacht, daß der Religionsunterricht Zukunft hat. Die Christen und wir als gesamte Gesellschaft haben ein Anrecht darauf.

Die heutige Debatte hat deutlich gemacht, daß der Religionsunterricht Zukunft hat. Die Christen und wir als gesamte Gesellschaft haben ein Anrecht darauf.

Erstens: Wir haben zunächst einmal in den Kirchen eigene Ausgangspunkte gehabt mit unseren umfangreicheren Schriften zum Religionsunterricht. Aber dabei soll es nicht bleiben. Im Augenblick sind wir dabei, daß wir genauer sehen, wo wir doch noch mehr Gemeinsamkeiten haben, als es manchmal auf den ersten Blick erscheint. Die werden wir prüfen. Frau Oberkirchenrätin Annegrete Stoltenberg von der EKD ist hier. Da ist also nicht einfach Stillstand.

Zweitens: Ich habe hier die konkreten Gespräche mit den Landesregierungen über den Religionsunterricht völlig ausgeblendet, weil es einfach jetzt heute abend nicht hierher gehört. Aber Sie dürfen sicher sein, daß es mindestens in Hessen und Rheinland-Pfalz in den 14 Jahren, seitdem ich Bischof bin, kein einziges Gespräch gegeben hat, das wir jedes Jahr mit einer Landesregierung haben, ohne intensive Diskussion über den Religionsunterricht. Ich kann mich also nicht beklagen, daß von den Landesregierungen unter Anwesenheit von mindestens 80 bis 90% der Minister kein Interesse am Religionsunterricht bestehe. Bei diesen Gesprächen kommt alles, was Sie angesprochen haben, mit sehr genauen Zahlen in die Diskussion. Wir haben freilich ein ganz großes Dilemma, das ich nicht lösen kann. Da, wo ein hoher Ausfall ist, übernehmen wir aus kirchlichen Finanzmitteln unter Anstellung von vielen Mitarbeiterinnen und Mitarbeitern, die nur Religionsunterricht geben, einen ganz hohen Anteil an dem, was der Religionsunterricht eigentlich staatlicherseits leisten muß, also an personellen Ressourcen, damit der Religionsunterricht nicht ausfällt. Aber das ist eine sehr zweischneidige Sache, weil ich natürlich auf diese Art und Weise sozusagen in Ersatz trete für etwas, was rechtlich anders geordnet ist. Und da bin ich in einem großen Dilemma, was hier zwischen dem Bestehen auf Verträgen und dem Wohl junger Menschen eigentlich zu tun ist.

Drittens: Ich trete landauf, landab bei allen Visitationen, in allen Gesprächen mit den Pfarrgemeinderäten dafür ein, sich endlich mal für die Schule zu interessieren. Es hat doch keinen Sinn, sich für den Religionsunterricht nur isoliert zu interessieren. Ich bitte Sie, sich einzusetzen für die Schulen und ihre Wandlungen, für das Umfeld der Schule, aber der Erfolg ist nicht so riesig groß, wie ich ehrlich gestehen muß, obwohl ich das schlimm finde.

Viele unserer Religionslehrerinnen und Religionslehrer haben auch ein seelsorgerliches Verhältnis zu vielen Schülerinnen und Schülern, wenn diese es wollen, und zwar nicht nur in der Schulseelsorge, die sehr ausgebaut worden ist, sondern auch als Religionslehrer.

Ich selbst hatte auch keinen besonderen Religionsunterricht, aber ich habe den Glauben der Kirche im Religionsunterricht kennengelernt, auch wenn er „trocken“ und auch recht dürr war. Ich habe Theologie studiert und bin Priester geworden, weil ich einen hervorragenden Deutsch- und Philosophielehrer hatte, der mich begeistert hat für diese Dinge. Religionsunterricht möchte ich trotzdem nicht missen, obwohl ich jede Stunde langweilig fand. Das muß sehr differenziert gesehen werden. Den Einzelfall kann ich nicht entscheiden. Ja, ich möchte nicht vergessen, daß viele unserer Religionslehrerinnen und Religionslehrer auch ein seelsorgliches Verhältnis haben zu vielen Schülerinnen und Schülern, wenn diese es wollen, und zwar nicht nur in der Schulseelsorge, die sehr ausgebaut worden ist, sondern auch als Religionslehrer. Ich kenne viele, die bis nachts um 23.00 Uhr Besuch bekommen von jungen Leuten, die noch jemanden sprechen wollen. Hier darf man nicht übersehen, was da alles noch an Hilfen drinsteckt.

Und nun noch zwei kurze Punkte innerhalb der Podiumsrunde: Herr Kretschmann, so harmlos ist der Ethikunterricht auch nicht. Mit welchem Recht wählen Sie eine bestimmte Ethik, z.B. Friedrich Nietzsche, aus und setzen gerade diese Ethik Ihren Leuten vor? Dies muß auch problematisiert werden. Das ist nicht so unproblematisch, wenn Sie die Pluralität ethischer Entwürfe sehen. Dies brauche ich Ihnen nicht zu sagen, das sind echte Fragen.

Ich habe ganz und gar nicht Ihren Optimismus im Blick auf eine freie Religiosität. Alle bekannten religionssoziologischen Untersuchungen weltweit geben einer solchen Religiosität sehr wenig Chancen ohne einen sozialen Anhalt, ohne den Rückhalt in einer Institution. Da gibt es überhaupt keinen Zweifel. Gehen Sie zu den Soziologen und fragen, ob das nicht so ist.

Graf Lambsdorff, ich habe sicher Ihre Erwartungen nicht erfüllt. Sie plädieren eben doch für einen universalen Zugang aller und jeder zum Religionsunterricht. Diesen offenen, freien Markt gibt es nicht, jedenfalls nicht bei uns. Wir sind da unterschiedlicher Meinung, denn ich habe ein anderes Verständnis vom Verhältnis von Freiheit und Bindung. Das ist ein wichtiges Thema nicht nur zwischen Ihrer Partei und uns, sondern überhaupt. Da muß weitergedacht werden. Ich verehre Ihnen nachher mein Exemplar mit den unterstrichenen Stellen, es ist doch vielleicht mehr, als aus Ihrer Beurteilung hervorgegangen ist (im übrigen vgl. zuletzt K. Lehmann, Verletzliche Ordnungen, in: Herder-Korrespondenz, 51. Jg., Nov. 1997, 556–574).

Und ein einziges kleines Wort noch zu LER: Ich denke, die Herausforderung, die von LER ausgeht, ist eigentlich für uns wichtig; daß wir uns nämlich wirklich fragen, was wir den 80 % Menschen bieten, die jetzt keiner konkreten kirchlichen Religion angehören. Diese Fragestellung verändert mit Sicherheit auch den Religionsunterricht im kirchlichen Bereich in den neuen Bundesländern. Ich halte die Lösung LER aus den schon angegebenen Gründen – und es käme noch manches dazu – nicht für die richtige. Aber wir müssen eine echte Antwort geben auf diese Herausforderung.
Ich danke herzlich allen.

Hans Heiner Boelte

Frau Präsidentin, da Sie die einzige Frau hier am Podium sind, müssen Sie auch das vorletzte Wort vor mir behalten.

Rita Süssmuth

Das ist die übliche Bestimmung von "Alibifrau"!

Ich möchte gerne noch mal aus der Diskussion drei Dinge aufnehmen. Das erste ist: Ich habe mich gewundert, wie wir mit LER und Religionsunterricht umgegangen sind. In dem Problemfeld steckt ein wichtiger Streit. Natürlich sind LER und

Ethikunterricht wertebesetzt. Ich möchte nur an Marx, Feuerbach und Nietzsche erinnern. Das einzige, was sie und ihre Nachfahren nicht erreicht haben, ist ihr Ziel, daß die Religion abstirbt. Davon gingen sie ja aus in ihrem wissenschaftlichen und philosophischen Erkenntnishorizont. Die Religion ist aber nicht abgestorben. Das bedeutet zu begreifen, daß Philosophie einerseits und Religion und Glaube andererseits zwei verschiedene Dinge sind. Und insofern ist LER nicht eine Alternative, sondern "aliud". Wir müssen den Jugendlichen erklären, was das eine und was das andere ist und wo die Grenzen des einen beginnen und was das andere als Angebot ermöglicht. Die Geheimnisse bleiben nämlich. Und mit den Geheimnissen befassen sich weit mehr Religion und Glauben. Das finde ich ganz entscheidend.

Das zweite: Natürlich habe ich mit der Frage: "Wie halten wir es denn mit der Wertigkeit von Religion und Glaube?" einen Bereich angeschnitten, der dann gleich wieder zurückgespiegelt wird in der Frage: "Wie haltet ihr es dann aber mit der Bereitstellung der finanziellen Mittel?". Bei aller Wichtigkeit des Geldes, von Lehrpersonal und Unterrichtsstunden, auch der Lehrerausbildung, möchte ich Ihnen sagen: Welchen Stellenwert Religion in einem Land hat, hängt nicht allein vom Geld ab. Man kann sehr viel Geld haben, wie wir es in der Vergangenheit gehabt haben, und doch sehr liederlich mit Religion und Glaube umgehen, wie wir es getan haben.

Ich möchte am Ende des heutigen Abends doch noch mal auf die Schrift der deutschen Bischöfe zurückkommen. Wenn alle Curricula und alle Stellungnahmen so viel Wissenswertes über Bildung des Menschen sagten, dann wäre es in unserem Land um das gesamte Bildungskonzept besser bestellt. Denn was uns Probleme bereitet, ist oft weitaus stärker ein geistig-kultureller Mangel als ein Wissensdefizit in einzelnen Fachdisziplinen. Deswegen brauchen wir nicht weniger, sondern mehr Allgemeinbildung. Das schließt nicht die Vertiefung in einem Bereich aus. Und damit möchte ich dann auch noch mal den Lehrkräften sagen: Natürlich weiß jeder von uns, daß Schule nicht das Elternhaus ersetzen kann. Aber Tatsache ist, daß immer mehr Kinder und Jugendliche erstmalig im Kindergarten oder in der Schule mit Religion und Glaubensinhalten vertraut gemacht werden. Dieses ist eine große Herausforderung für die Religionslehrerinnen und -lehrer. Der Schwerpunkt liegt deswegen oftmals auf dem nachholenden Lernen, und für viele der jetzt im Erwachsenen- oder vorangeschrittenen Erwachsenenalter Stehenden, ist dieses eine neue Herausforderung. Die Lehrkräfte selbst machen die Erfahrung, daß sie im Leben der Jugendlichen von entscheidender Bedeutung und Wichtigkeit waren und sind. Und deswegen zitiere ich noch zwei Sätze aus dieser mich begeisternden bischöflichen Erklärung: Wissen Sie, was dort zur Familie steht, welche Botschaft von Familie ausgehen soll? Es ist nicht soziologisch, sondern im Sinne der Botschaft Christi: Du bist geliebt, und du wirst leben können. Das ist eine Ermutigung für das Leben.

Es ist diese Botschaft, die der Religionsunterricht vermitteln sollte: Es gibt eine Liebe, die auch dann noch hält, wenn endliche Liebesfähigkeit am Ende ist. Das ist eine Botschaft von Glaube und Hoffnung. Wenn daraus keine Kraft bezogen wird, dann weiß ich nicht, woher wir Kraft nehmen und schöpfen sollten. Wenn der Religionsunterricht diese Botschaft des Glaubens in der Nachfolge Christi als Angebot nahebringt, dann, so glaube ich, schaffen wir auch

Es ist diese Botschaft, die der Religionsunterricht vermitteln sollte: Es gibt eine Liebe, die auch dann noch hält, wenn endliche Liebesfähigkeit am Ende ist. Das ist eine Botschaft von Glaube und Hoffnung.

einen Geist der Offenheit, der ermöglicht, daß Nichtkatholiken in den Unterricht kommen können und wollen. Es gibt also Grund zum offensiven Verhalten.

Hans Heiner Boelte

Vielen Dank, Frau Präsidentin. Es war natürlich das Schlußwort. Ich wollte mich nur noch mal bei Ihnen allen bedanken, daß Sie das Interesse an einem Fach, und das ist Religionslehre in den Schulen, hierher gelockt hat. Ich bin gekommen – das kann ich Ihnen ganz offen sagen –, weil ich einen Religionsunterricht hatte, der mich nicht gelangweilt hat, weil dort nämlich neben den Regeln der Grammatik, Herr Bischof, das absolut Unkalkulierbare, das Unverfüg-

bare, das nicht Machbare, das Geheimnis im Leben der Menschen vermittelt worden ist. Im Brief der Bischöfe an ihre lieben Religionslehrerinnen und Religionslehrer haben Sie darauf aufmerksam gemacht, was denn so ein Fach auch Schönes im Leben bewirken kann.

Herzlichen Dank Ihnen, daß Sie uns die Treue gehalten haben. Entschuldigen Sie bitte, daß es etwas länger gedauert hat, als wir uns vorgenommen hatten, aber ich weiß, nun sind alle bei Bischofs eingeladen.

Bildnachweis:

Ruthild Kropp, Petersberg: Seite 21, 47, 64, 78, 82, 85, 94, 120, 137
Thomas Pinzka, Erlangen: Seite 10, 16, 30, 33, 54, 97, 104, 108, 114, 140
KNA-Bild, Frankfurt a.M.: Seite 24, 37, 131

VERLAG FÜR GEISTES-, SOZIAL- UND WIRTSCHAFTSWISSENSCHAFTEN

Theologen unserer Zeit in lebendigen Einzelporträts

Stephan Pauly (Hrsg.)
Theologen unserer Zeit
1997
156 Seiten mit 11 Abb. Kart.
DM 29,80/öS 218-, sFr 27,50
ISBN 3-17-015046-4

Dieser Band stellt Theologen vor, die in unserer Zeit prägend sind und ein theologisches Erbe geschaffen haben, das der Aneignung lohnt. Ausgewiesene Kenner porträtieren

- **Karl Rahner** (Bischof Prof. Dr. Dr. Karl Lehmann),
- **Romano Guardini** (Prof. Dr. Hanna-Barbara Gerl-Falkovitz),
- **Hans-Urs von Balthasar** (Prof. Dr. Elmar Salmann OSB),
- **Heinrich Fries** (Dr. Norbert Göttler),
- **Eugen Biser** (Prof. Dr. Richard Heinzmann)
- **Henri de Lubac** (Prof. Dr. Gerd Haeffner SJ),
- **Bernhard Häring** (Prof. Dr. Johannes Gründel),
- **Oswald von Nell-Breuning** (Prof. Dr. Friedhelm Hengsbach SJ),
- **Anton Vögtle** (Prof. Dr. Rudolf Hoppe),
- **Odo Casel** (Prof. Dr. Arno Schilson),
- **Gustavo Gutiérrez** (Prof. Dr. Gerhard-Ludwig Müller).

Jedem Beitrag ist eine Porträtaufnahme des vorgestellten Theologen beigegeben.

Kohlhammer

W. Kohlhammer GmbH · 70549 Stuttgart